Premières Lectures Culturelles

Premières Lectures Culturelles

ARSÈNE CROTEAU
University of Connecticut

ARTHUR M. SELVI
Teachers College of Connecticut

American Book Company

New York Cincinnati Chicago Boston Atlanta Dallas San Francisco

Illustrated by Jon Nielsen

CROTEAU–SELVI : *Premières Lectures Culturelles*
Made in U.S.A.
E.P. 15 14 13 12

1960 Impression

Preface

Premières Lectures Culturelles is the first of two graded readers, which may be used independently or consecutively: *Premières Lectures Culturelles* in the first semester and its companion reader *Lectures Littéraires Graduées* in the second.

Premières Lectures Culturelles has been written for the specific purpose of providing enjoyable reading material from the very first weeks in beginning courses of French. Divided into two parts, this reader presents a carefully graded sequence of texts supplemented by assimilation exercises designed to promote reading proficiency and confidence in the use of the language.

The first part of the book (*Notions diverses sur la France*) comprises eight short chapters dealing briefly with France, her people, and her culture. This topic was chosen for the introductory section primarily because it lends itself naturally to a frequent use of cognates and of verbs in the present tense. The profusion of cognate expressions helps students to feel immediately at home in the new language while providing a springboard for the acquisition of a progressively wider vocabulary. Throughout this section of the reader, the visible vocabularies at the bottom of

v

each page translate all words — with the exception of easily recognizable cognates — appearing in the texts for the first time.

The second part (*Historiettes et Contes du Pays de France*) presents ten lively stories written in simple, idiomatic French and arranged in order of increasing difficulty and length. Here some of the old, genuine French tales such as *Les trois aveugles de Compiègne* and *La farce du cuvier*, retold in the present tense, lead up to an episode from *Gil Blas* and a short story by François Coppée, in which the imperfect, past indefinite, and future are used. All of these tales have been completely rewritten to allow a gradual introduction of new expressions and grammatical forms. Although simplified, they retain their original message and bring to modern students a vision of French literary horizons fraught with human appeal. In the second part of the book, the page vocabularies carry all words — excepting cognates — beyond the 250 most frequent expressions tabulated in recognized word counts.

A section of *Glanures*, presenting a variety of anecdotes, famous quotations, proverbs, and short poems, has been appended to each chapter of this book. It is earnestly believed that such a sampling of the rich French literary tradition will add perspective to the materials included in this reader, and that the student of French will find *Premières Lectures Culturelles* not only a useful textbook but also an open invitation to explore more fully the splendid cultural heritage of France.

We wish to acknowledge our debt of gratitude to Professor J. Homero Arjona of the University of Connecticut and to Professors Belle D. Rugh and Lothar

Kahn of the Teachers College of Connecticut for their valuable suggestions and their interest in this project; and to Mr. Paul Croteau for his penetrating criticism of the entire manuscript and his capable assistance in the compilation of the vocabularies.

A. C.
A. M. S.

Table des Matières

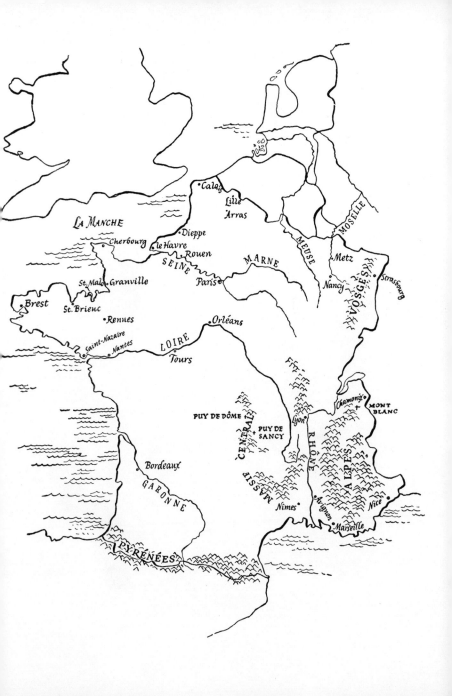

Notions diverses sur la France

1. Villes de France

La France est un pays. L'Europe est un continent. La France est un pays d'Europe. La capitale de la France est Paris. L'Europe est un continent, la France est un pays, et Paris est une ville.

Calais est aussi une ville. C'est un port dans le nord de la France. Le Havre et Cherbourg sont des ports situés sur la Manche. Brest est situé sur l'Océan Atlantique. Marseille, sur la mer Méditerranée, est aussi un port très important.

Lyon, Tours et Orléans sont des villes de l'intérieur de la France. Rouen est au nord; Strasbourg est à l'est;

Villes, Cities	**sur,** on
pays, country	**Manche,** English Channel
aussi, also	**mer,** sea
dans, in	**très,** very
nord, north	**est,** east
situés, situated	

3

Avignon est au sud; Rennes et Nantes sont à l'ouest.
15 Les villes de France ont un charme tout particulier.

sud, south   **particulier: tout —,** all their own
ouest, west

Assimilation Exercises

I. *Fill the blanks with the appropriate words:*

1. Paris est la ＿＿ de la France.   2. La France est un
＿＿.   3. L'Europe est ＿＿ continent.   4. Paris est
＿＿ ＿＿.   5. Calais est un port ＿＿ dans le nord de
la France.   6. Le Havre et Cherbourg ＿＿ situés sur
la Manche.   7. Orléans est une ville de l'＿＿ de la
France.   8. Marseille est sur la ＿＿ Méditerranée.
9. Brest est un port situé sur l'＿＿ ＿＿.

II. *Answer orally or in writing:*

1. Est-ce que la France est un pays?   2. Est-ce que
l'Europe est un continent?   3. Est-ce que la capitale de
la France est Paris?   4. Est-ce que Calais est une
ville?   5. Est-ce que Le Havre et Cherbourg sont des
ports?   6. Est-ce qu'ils sont situés sur la Manche?
7. Est-ce que Brest est situé sur l'Océan Atlantique?
8. Est-ce que Brest est un port important?   9. Est-ce
que Marseille est aussi un port important?

Glanures

Je pense, donc je suis.   I think, therefore I am.
    (RENÉ DESCARTES, *1596–1650*)

Le cœur a ses raisons que la   The heart has its own reasons
    raison ne connaît point.   which reason cannot grasp.
    (BLAISE PASCAL, *1623–1662*)

2.   Fleuves de France

Paris est situé sur la Seine. La Seine est un fleuve. La Loire, le Rhône et la Garonne sont aussi des fleuves de France. La Seine est d'une beauté proverbiale. Elle est calme et 5 navigable, donc, de grande valeur économique pour la France. Grâce à la Seine, Paris est un port important.

Orléans, au sud de Paris, est situé sur la Loire. Le cours de la Loire est violent et très irrégulier en certaines saisons. La source de la Loire est dans le Massif 10 Central, grand plateau granitique au centre de la France.

Les sources du Rhône sont dans le glacier du Rhône, en Suisse. Le Rhône traverse le lac de Genève et entre en France purifié, clair, limpide et bleu. Lyon et Avignon 15 sont des villes situées sur le Rhône.

Fleuves, Rivers
donc, therefore
grande, great
valeur, value
pour, for

Grâce: — à, Thanks to
Massif Central, Central Highland
Suisse: en —, in Switzerland
lac, lake

5

Les sources de la Garonne sont dans les Pyrénées. Les inondations de la Garonne sont extrêmement violentes. Elles sont soudaines et très dangereuses. 20 La Garonne est large et profonde à Bordeaux. L'estuaire de la Garonne est accessible aux grands transatlantiques.

La France a aussi beaucoup de canaux qui facilitent le commerce à l'intérieur du pays.

large, wide
profonde, deep
estuaire, estuary
transatlantiques, ocean liners

beaucoup: — de, many
canaux, canals
qui, which

Assimilation Exercises

I. *Fill the blanks with the appropriate words:*
1. Paris est situé sur la ____.   2. La Seine est un ____.
3. La Seine est de grande ____ économique pour la France.   4. Orléans est situé ____ la Loire.   5. Le cours de la Loire est ____ en certaines saisons.   6. Le Massif Central est un grand ____ granitique au ____ de la France.   7. Le Rhône traverse le ____ de Genève.   8. La Garonne est ____ et profonde à Bordeaux.   9. L'estuaire de la Garonne est accessible aux grands ____.

II. *Make the following sentences interrogative by placing the expression «est-ce que» in front of them, then answer in the affirmative:*

Example: Les États-Unis sont un pays.

> *Question:* Est-ce que les États-Unis sont un pays?
>
> *Answer:* Oui, les États-Unis sont un pays.

1. La Seine est un fleuve navigable.   2. Orléans est situé sur la Loire.   3. Le Massif Central est un plateau granitique au centre de la France.   4. Le Rhône traverse le lac de Genève.   5. Lyon est situé sur le Rhône.   6. La Garonne a des inondations très violentes.   7. Orléans est situé au sud de Paris.   8. L'estuaire de la Garonne est large et profond.

Glanures

Les rivières sont des chemins qui marchent.   Rivers are roads on the march.

(BLAISE PASCAL, *1623–1662*)

Science sans conscience n'est que ruine de l'âme.   Knowledge without conscience brings ruin to the soul.

(FRANÇOIS RABELAIS, *1494?–1553*)

3. *Les provinces*

*L*a France est une république. Elle est divisée, non pas en états, comme les États-Unis, mais en départements. Cette
5 division en départements date de la Révolution française. Pourtant, en réalité, les anciennes provinces existent toujours pour beaucoup de Français: la Bretagne, la Normandie, la Flandre, l'Alsace et la Lorraine, la Champagne, la Provence, la Gascogne, etc., sont
10 mentionnées très souvent dans le langage courant et dans la littérature. Ces beaux noms évoquent de l'histoire, des légendes, et une grande variété de sites pittoresques.

divisée, divided
pas: non —, not
états, states
États-Unis, United States
mais, but
cette, this
pourtant, however

toujours, still; always
souvent, often
courant: langage —, everyday
 speech
beaux, beautiful
noms, names

8

Les traditions, les tempéraments, les coutumes va-
rient beaucoup d'une province à l'autre. Les types 15
aussi; par exemple, l'habitant de la Champagne est
grand et blond, en général, et il a les yeux bleus. Le
Gascon — habitant de la Gascogne — n'est pas grand,
et il a les cheveux bruns. Le Provençal — habitant de la
Provence — est jovial et loquace, et il a les yeux et les 20
cheveux noirs.

Mais, malgré cette grande diversité, causée par les
migrations et les invasions au cours de l'histoire, les
Français sont unis par un esprit patriotique vraiment
remarquable.   25

coutumes, customs
autre, other
par, for, by
grand, tall
yeux: a les — bleus, is blue-eyed

cheveux: a les — bruns, is brown-
  haired
noirs, dark; black
malgré, in spite of
vraiment, truly

Assimilation Exercises

I. *Fill the blanks with the suitable forms of the
demonstrative adjective* (ce, cet, cette, ces):

1. ＿＿ province. 2. ＿＿ habitants. 3. ＿＿ régions.
4. ＿＿ tradition. 5. ＿＿ type. 6. ＿＿ exemple.
7. ＿＿ Gascons. 8. ＿＿ invasion. 9. ＿＿ état.
10. ＿＿ coutumes.

II. *Fill the blanks with the appropriate words:*

1. La France est une ＿＿ divisée en départements.
2. Mais, dans la réalité, elle est aussi divisée en ＿＿.
3. Les tempéraments et les coutumes varient d'une
province à l'＿＿. 4. Les habitants de la Champagne
ont, en général, les yeux ＿＿. 5. Les ＿＿ sont les
habitants de la Gascogne. 6. Le Provençal a les ＿＿
et les ＿＿ noirs. 7. Les Français sont unis par un ＿＿
patriotique vraiment remarquable.

Glanures

La Vie	Life

La vie est vaine;   Life is vain;
Un peu d'amour,   A bit of love,
Un peu de haine,   A bit of hate,
Et puis, bonjour! . . .   And then, goodby! . . .

La vie est brève;   Life is brief;
Un peu d'espoir,   A little hope,
Un peu de rêve,   A little dream,
Et puis, bonsoir! . . .   And then, good night! . . .

(LÉON MONTENAEKEN, *1859– ?*)

4. La Bretagne et la Normandie

La Bretagne est une péninsule située à l'extrémité nord-ouest de la France, entre la Manche et l'Atlantique. La mer, toujours agitée, attaque constamment ses côtes granitiques. *5* A l'intérieur du pays il y a des forêts et des landes, où abondent les vestiges d'une civilisation très ancienne et mystérieuse. Les Bretons sont des marins incomparables. La pêche est la principale occupation des Bretons de la côte. Les plus importantes villes de la Bretagne, *10* excepté Rennes, sont des ports de mer: Brest, Lorient, Nantes, Saint-Brieuc, Saint-Malo, et Saint-Nazaire.

La Normandie — à l'est de la Bretagne — a aussi des ports très importants: le Havre, point d'arrivée et

---

entre, between
côtes, coasts
a: il y —, there are; there is
landes, waste lands
où, where

abondent, abound
marins, sailors
pêche, fishing
plus: Les — importantes, The most important

15 de départ des grands transatlantiques; Cherbourg, port militaire; Dieppe et Granville, ports de pêche. Les Normands (*Northmen*, «Hommes du Nord») ont gardé à travers les âges leur réputation de navigateurs intrépides. La Normandie est fameuse pour la fertilité 20 de son sol et pour la variété et la qualité de ses produits agricoles.

La Normandie est aussi la province des églises et des abbayes célèbres, des châteaux antiques, et de nombreuses cités romaines. Dans la seconde guerre mondiale, 25 la Normandie a été la première province française libérée par les Alliés. Des milliers de soldats américains reposent dans le sol de la Normandie, sous des milliers de petites croix blanches.

Hommes, Men
gardé, kept
travers: à —, through
sol, soil
églises, churches
nombreuses, numerous
guerre: — mondiale, world war

première, first
milliers: Des —, Thousands
reposent, lie buried; lie; rest
sous, under, beneath
petites, small, little
croix, crosses
blanches, white

Assimilation Exercises

I. *Give the French equivalent of the following expressions:*

in the north — to the south — there are forests — of the cities — to the country — of the ocean — between France and Switzerland — with the soldiers — to the sailors — in the churches

II. *Fill the blanks with the appropriate words:*

1. La Bretagne est une ____.   2. Elle est située à l'extrémité ____ de la France.   3. A l'intérieur du pays il y a des forêts et des ____.   4. Les Bretons sont des ____ incomparables.   5. Dieppe est un port de ____.   6. Le

Havre est un des points d'arrivée et de ____ des grands
____. 7. La Normandie est fameuse pour la fertilité
de son ____. 8. Dans la deuxième ____ mondiale, la
Normandie a été la première province française ____
par les Alliés. 9. Des milliers de ____ américains
reposent dans le ____ de la Normandie.

Glanures

O Liberté! que de crimes on commet en ton nom!	Oh Liberty! What crimes are committed in thy name!

(MADAME ROLAND, *1754–1793*)

Marquise, si mon visage	My lady, though my aging brow
A quelques traits un peu [vieux,	May cause that look of sweet contempt,
Souvenez-vous qu'à mon âge	When you're as old as I am now,
Vous ne vaudrez guère [mieux.	Remember — you'll not be exempt.

(PIERRE CORNEILLE, *1606–1684*)

La lecture de tous les bons livres est comme une conversation avec les plus honnêtes gens des siècles passés.	The reading of all good books is like a conversation with the most worthy men of the past.

(RENÉ DESCARTES, *1596–1650*)

5. Le relief de la France

La France a des montagnes très hautes à sa frontière sud et à sa frontière sud-est. Au sud, ce sont les Pyrénées; au sud-est, ce sont les Alpes. Dans les Pyrénées il y a des pics de trois mille (3.000) mètres de haut. Les Alpes sont la plus haute chaîne de montagnes de l'Europe.

Dans les Alpes françaises, il y a le Mont Blanc. C'est un pic majestueux, dont le sommet est toujours couvert de neige. C'est le plus haut mont, non seulement de la France, mais de toute l'Europe. Il est même plus haut que le Mont Whitney aux États-Unis. Aux pieds du Mont Blanc repose la belle vallée de Chamonix, très célèbre pour les sports d'hiver.

pics, peaks
haut: de —, high
haute: la plus —, the highest
dont, whose
neige: couvert de —, covered with snow

seulement, only (*adv.*)
même, even
pieds: Aux —, At the foot
belle, beautiful
hiver, winter

Le Massif Central est un groupe de monts et de 15 plateaux. C'est le seul massif relativement élevé à l'intérieur de la France. Les plus fameux pics du Massif Central sont le Puy de Sancy, haut à peu près comme le Mont Washington, dans le New Hampshire, et le Puy de Dôme, où Blaise Pascal a fait d'importantes 20 expériences sur la pression atmosphérique.

Des Pyrénées, Victor Hugo a dit: «Ni montagne ni muraille, et cependant muraille et montagne à la fois.» En effet, les Pyrénées forment une véritable muraille de pics presque impossible à franchir.   25

L'histoire raconte avec quelles difficultés | Hannibal a traversé les Pyrénées, et puis les Alpes, pour marcher sur Rome; comment Jules César a traversé les Alpes pour attaquer la Gaule; et comment Charlemagne a traversé les Pyrénées pour libérer l'Espagne de la 30 domination arabe. Une belle légende raconte les prouesses de Roland, héros de la bataille de Roncevaux.

seul, only (*adj.*)
élevé, high
près: à peu —, approximately
comme, as
Pascal: Blaise —, (*French philosopher and mathematician*)
fait: a —, made
expériences, experiments
dit: a —, said
«Ni montagne ... à la fois,»
"Neither a mountain nor a wall; and yet a wall and a mountain all in one."
effet: En —, As a matter of fact
presque, almost
franchir, to cross
quelles, what
puis, then
pour, in order to
comment, how

Assimilation Exercises

I. *Translate the following expressions:*

à peu près — à la fois — seulement — la croix — la guerre mondiale — la pêche — à travers les âges — le plus haut mont — les grands transatlantiques — malgré — grâce à — la Suisse — les États-Unis — l'Espagne

II. *Fill the blanks with the appropriate partitive articles:*

1. La France a ——— montagnes très hautes. 2. En Amérique, il y a aussi ——— hautes montagnes. 3. Sur le sommet du Mont Blanc il y a toujours ——— ——— neige. 4. Au Puy de Dôme, Blaise Pascal a fait ——— importantes expériences de physique. 5. Dans le Massif Central, il y a ——— monts et ——— plateaux. 6. Y a-t-il beaucoup ——— neige dans les Alpes en hiver? 7. Ah! oui; il y a non seulement ——— ——— neige, mais il y a aussi ——— ——— glace (*ice*). 8. Dans les Pyrénées il y a ——— pics de trois mille mètres de haut.

Glanures

La critique est aisée, et l'art est difficile.	It is easier to criticize than to create.
(PHILIPPE DESTOUCHES, *1680–1754*)	

Il n'y a pour l'homme que trois événements: naître, vivre et mourir; il ne se sent pas naître, il souffre à mourir, et il oublie de vivre.	For man there are only three important events: birth, life, and death; but he is unaware of being born, he suffers when he dies, and he forgets to live.
(JEAN DE LA BRUYÈRE, *1645–1696*)	

Les Pyrénées	The Pyrenees
Monts gelés et fleuris, trône [des deux saisons,	Mountains hoary and blossoming, throne of two seasons,
Dont le front est de glace [et le pied de gazon . . .	Whose brow is of ice and whose feet are green meadows . . .
(ALFRED DE VIGNY, *1797–1863*)	

6.   Paris

Paris est le cœur de la France. Comme toutes les villes du monde, Paris a des rues, des maisons, des boulevards, des parcs. Mais, Paris n'est pas comme toutes les villes du monde. *5* Paris est unique, non seulement par son Louvre, sa cathédrale Notre-Dame et sa tour Eiffel, ses nombreux monuments et trésors d'art, mais aussi par l'esprit de son peuple.

Le peuple de Paris aime l'animation de ses rues avec *10* leurs beaux magasins, leurs cafés toujours fréquentés, et le va-et-vient continuel des autos, des taxis, des autobus, des bicyclettes. Il aime ses boulevards et ses magnifiques parcs publics, ses églises et ses théâtres, ses musées et ses écoles.   *15*

cœur, heart
rues, streets
maisons, houses
aime, loves

magasins, stores
va-et-vient, coming and going
écoles, schools

L'avenue des Champs-Élysées est une des promenades
favorites des Parisiens. C'est un long boulevard, bordé
de grands arbres, qui va de la place de la Concorde à
la place de l'Étoile. Au centre de la place de l'Étoile
20 il y a le fameux Arc de Triomphe, construit par Napoléon pour commémorer les victoires de ses armées.
L'obélisque de Louksor domine la place de la Concorde
et l'entrée du jardin des Tuileries. Ce jardin est un des
plus vastes et des plus populaires de Paris. Pour les
25 enfants, c'est un vrai paradis.

A l'est du jardin des Tuileries, il y a le musée du
Louvre, ancienne résidence des rois de France et, encore
aujourd'hui, vrai palais royal, le palais royal des Arts.
Le Quartier Latin est un des plus importants centres
30 intellectuels du monde. C'est là que sont situés, entre
autres, le Collège de France, la Sorbonne, l'École
Normale Supérieure, l'École de Médecine, l'École
Polytechnique. Ces institutions sont fréquentées par
des milliers et des milliers d'étudiants français et
35 étrangers.

Au parc Montsouris, il y a la Cité Universitaire, où
logent des étudiants de tous les pays. Composée d'une
vingtaine d'édifices d'architecture très diverse, la Cité
Universitaire favorise les contacts et la bonne entente
40 entre des jeunes gens de toutes les nationalités. Les

bordé, lined
arbres, trees
va, goes
jardin, garden
vrai, true
rois, kings
encore, still
aujourd'hui, today
là, there
étudiants, students

École Normale Supérieure, *an
institution of higher learning for
prospective teachers in secondary
schools and in universities*
étrangers, foreign
logent, lodge
vingtaine: une —, a score
entente, understanding
jeunes: — gens, young people

deux édifices américains de la Cité Universitaire sont:
la Fondation des États-Unis, et la spacieuse et toute
moderne Maison Internationale.

Assimilation Exercises

I. *Fill the blanks with the appropriate forms of the
possessive adjective* (mon, ton, son; ma, ta, sa;
etc.):

1. Paris est une bien (*very*) grande ville; dans ____ rues
il y a toujours beaucoup d'animation. 2. ____ cathédrale Notre-Dame est une des merveilles de l'architecture gothique. 3. Les magasins de Paris, avec ____
belles vitrines (*shopwindows*), sont toujours très fréquentés. 4. Paris, avec ____ Louvre, ____ tour Eiffel,
____ jardins des Tuileries, ____ monuments et ____
parcs, ne manque pas (*does not lack*) de variété. 5. Les
Champs-Élysées, avec ____ grands arbres, sont une
des promenades favorites des Parisiens. 6. L'Arc de
Triomphe, construit par Napoléon, commémore les
victoires de ____ armées.

II. *Answer orally or in writing:*

1. Quels sont les principaux monuments de Paris?
2. De quoi est bordée l'avenue des Champs-Élysées?
3. Quel monument fameux y a-t-il au centre de la place
de l'Étoile? 4. Qu'est-ce qui domine la place de la
Concorde? 5. Quel musée y a-t-il à l'est des Tuileries?
6. Quelles sont les principales institutions du Quartier
Latin? 7. Par combien d'étudiants ces institutions
sont-elles fréquentées? 8. Quels étudiants logent à
la Cité Universitaire? 9. Quels sont les deux édifices
américains de la Cité Universitaire?

Glanures

Paris et ma Mie

Si le roi m'avait donné
  Paris, sa grand'ville,
Et qu'il me fallût quitter
  L'amour de ma mie,
Je dirais au roi Henri:
Reprenez votre Paris,
J'aime mieux ma mie, au gué!
  J'aime mieux ma mie.

(MOLIÈRE, *1622–1673*)

Paris and my Lass

If the king had given me
  Paris, his great city,
And for that I had to be
  Bereft of my loved lassie,
I'd tell King Henry this:
You take back your Paris;
I'd rather have my lass, pardie!
  I'd rather have my lassie!

Sur dix personnes qui parlent de nous, neuf en disent du mal, et souvent la seule personne qui en dit du bien le dit mal.

(ANTOINE DE RIVAROL, *1753–1801*)

Out of ten people who talk about us, nine will speak ill of us; and often the only person who speaks well of us does it badly.

7. La France dans le monde

La France n'est pas seulement un coin d'Europe dans lequel habitent quarante-quatre (44) millions de Français. Elle est aussi la patrie culturelle de millions de personnes de toutes ₅ races et de toutes couleurs.

Des liens administratifs, politiques ou historiques unissent à la France territoriale plusieurs îles et de vastes pays: la Corse, l'Algérie, l'Afrique-Occidentale et l'Afrique-Équatoriale françaises, Madagascar, l'île ₁₀ de la Réunion, la Martinique, la Guadeloupe, Saint-Pierre-et-Miquelon, etc. En d'autres pays, jadis administrés par la France, l'influence de la France reste encore très grande, comme dans la Syrie, l'Indochine, le Maroc, la Tunisie. ₁₅

monde, world
coin, corner
lequel: dans —, in which
patrie, fatherland
liens, ties

unissent, link
plusieurs, several
îles, islands
Corse, Corsica
jadis, formerly

21

La France a beaucoup contribué à la prospérité et à l'émancipation des territoires et des pays que nous avons mentionnés. Mais, si la France est une puissance de premier ordre par son extension géographique et son
20 potentiel économique et militaire, elle l'est encore davantage par sa haute culture qui rayonne sur le monde entier.

Thomas Jefferson, troisième président des États-Unis, a bien caractérisé cette universalité de la culture fran-
25 çaise lorsqu'il a dit: «Tout homme a deux patries, la sienne et puis la France.»

si, if	**troisième,** third
puissance, power	**bien,** well
davantage: elle l'est encore —, she is even more so	**dit: lorsqu'il a —,** when he said
rayonne, shines	**sienne: la —,** his own

Assimilation Exercises

I. *Ask each other whether French is spoken in the places listed below and answer affirmatively:*
Example: — Est-ce qu'on parle français en France?
— Mais oui, on parle français en France.

1. à la Martinique
2. en Corse
3. en Algérie
4. à Madagascar
5. en Syrie

6. en Indochine
7. au Maroc
8. en Tunisie
9. au Canada
10. en Louisiane

II. *Answer orally or in writing:*
1. Combien d'habitants a la France? 2. De qui est-elle la patrie culturelle? 3. Où se trouve (*is*) la Corse?

4. Où se trouve l'Algérie? 5. Où est-ce que l'influence de la France reste encore très grande? 6. Qu'est-ce qui fait de la France une puissance de premier ordre? 7. Quelles sont les paroles (*words*) mémorables de Thomas Jefferson?

Glanures

Proverbes	Proverbs
Il n'y a pas de roses sans épines.	There are no roses without thorns.
Vouloir c'est pouvoir.	Where there's a will there's a way.
Pas à pas on va bien loin.	One step at a time will take you far.
Tout est bien qui finit bien.	All's well that ends well.
Le chat parti, les souris dansent.	While the cat is away the mice will play.
Aide-toi, le ciel t'aidera.	Heaven helps those who help themselves.
Trop de cuisiniers gâtent la sauce.	Too many cooks spoil the broth.
Charité bien ordonnée commence par soi-même.	Charity begins at home.
La parole est d'argent, le silence est d'or.	Speech is silver, silence is golden.

8. Analogie entre l'anglais et le français

*L*e français est une langue facile à lire pour les personnes de langue anglaise, grâce à la grande similarité qui existe entre
5 ces deux langues; en effet, à peu près cinquante (50) pour cent du vocabulaire de l'une se retrouve dans le vocabulaire de l'autre.

Il y a des centaines de mots qui sont entièrement semblables dans les deux langues: abdication, aber-
10 ration, addition, baron, bile, bizarre, blond, bonnet, cage, canal, capable, capital, etc.; et des milliers d'autres mots qui, tout en variant un peu en passant d'une langue à l'autre, gardent essentiellement la même structure: danse (*dance*), ébène (*ebony*), échange
15 (*exchange*), économie (*economy*), faible (*feeble*), faisan (*pheasant*), famille (*family*), etc.

---

lire, to read
retrouve: se —, is to be found
centaines, hundreds
mots, words

semblables, similar
tout: — en, while
même, same; even

Sans doute y a-t-il d'autres mots où les différences sont plus marquées, mais il est certain que toute personne de langue anglaise comprend déjà beaucoup de termes français, même avant de commencer l'étude de *20* cette langue.

Cette grande ressemblance a comme principale cause les contacts fréquents entre l'Angleterre et la France au cours de leur histoire, spécialement l'invasion de l'Angleterre par les Normands en 1066. Le français est *25* devenu alors en Angleterre la langue de l'aristocratie, de la classe instruite, du gouvernement et des cours de justice, et il s'est incorporé très intimement à l'anglais en lui fournissant un grand nombre de mots et d'expressions. *30*

Mais, cette influence n'a pas opéré en un sens seulement: il y a eu réciprocité, car l'anglais a aussi fourni au français des mots et des expressions de toutes sortes, surtout depuis les débuts du dix-neuvième (XIXe) siècle. Ces mots se rapportent aux inventions modernes, au *35* gouvernement, aux sports, au tourisme, etc.: rail, wagon, express, bill, meeting, verdict, interview, match, groom, football, handicapper, boycotter, knock-out, détective, et beaucoup d'autres encore.

Il est donc évident que toutes ces similarités, et tous *40*

Sans: — doute, Undoubtedly
comprend, understands
déjà, already
avant: — de commencer, before beginning
devenu: est —, became
alors, then
instruite, cultured
cours de justice, courts of law
incorporé: s'est —, was (became) incorporated

fournissant: en . . . —, by supplying
sens, sense, direction
eu: il y a —, there has been
car, for, because
surtout, especially
depuis, since
débuts, beginnings
siècle, century
rapportent: se — aux, deal with

ces liens et points de contact entre le français et l'anglais, deviennent une aide de grande valeur, presque gratuite, pour ceux qui désirent apprendre le français.

45 Même le français technique ou scientifique n'offre aucune difficulté notable, car une grande partie de cette terminologie dérive du grec et du latin et est similaire en français et en anglais: automobile, atome, molécule, protoplasme, moteur, magnétisme, anatomie, physiologie, physique, chimie, analyse, réaction, hydrogène,
50 oxygène, et ainsi de suite.

Autrement dit, la langue anglaise et la langue française se sont rapprochées au cours des âges — tout en conservant leur identité propre — au grand profit de quiconque désire faire l'étude de l'une par l'inter-
55 médiaire de l'autre.

deviennent, become
presque, almost
ceux: pour —, for those
apprendre, to learn
aucune: n'offre —, offers no
ainsi: et — de suite, and so forth

Autrement: — dit, In other words
rapprochées: se sont — have become more and more alike
quiconque, whoever, anyone
faire: — l'étude, to undertake the study

Pronunciation Exercise

Closely imitating the instructor, pronounce distinctly the following French words:

1. action   2. version   3. abolition   4. contradiction
5. base   6. Bible   7. bile   8. capture   9. catastrophe
10. zèle   11. valeur   12. victoire   13. crime
14. destinée   15. enragé   16. vampire   17. tube
18. trouble   19. humidité   20. idole   21. identité
22. triangle   23. silence   24. idéologie   25. machine
26. obscur   27. usage   28. ratification   29. relation
30. pâle   31. point   32. siphon   33. partial   34. lustre

35. inscrutable   36. tension   37. valet   38. utilité
39. domicile   40. division   41. blond   42. impossible
43. bronze   44. pipe   45. monocle   46. solide
47. zoologie   48. zinc   49. tangible   50. métal

Glanures

Henri IV et le Paysan

Henri IV est à la chasse, seul, mais à cheval. Il rencontre un paysan qui lui dit:

— Monsieur, il paraît que le roi est à la chasse; je désire le voir.

Henri IV répond:

— Alors, monte sur mon cheval, derrière moi.   *5*

En route, le paysan, curieux, demande:

— Comment est-il possible de reconnaître le roi?

Henri IV répond:

— A la cour, le roi est le seul avec son chapeau sur la tête.

En entrant à la cour, le paysan regarde tout le monde pour voir *10* qui porte un chapeau, puis, étonné, dit à Henri IV:

— C'est vous ou moi le roi, car nous seuls avons notre chapeau sur la tête.

Paysan, Peasant
chasse: à la —, hunting
cheval: à —, on horseback
rencontre, meets
dit: lui —, says to him
paraît: il —, it seems
roi, king
voir: le —, to see him
Alors, Well then
derrière: — moi, behind me

demande, asks
Comment, How
reconnaître, recognize
tête, head
regarde: — tout le monde, looks
  at everybody
porte, is wearing
étonné, astonished
ou, or

Historiettes et Contes du Pays de France

9.   *Le père, son fils et l'âne*

Since it is impossible to please everyone, it is often best to heed no one's counsel, but to let our own conscience and common sense guide our actions. Such is the message of this simple tale about A FATHER, HIS SON, AND THE DONKEY, *taken from an old French fable.*

Un père et son fils sont en route pour retourner à la maison, le soir d'un jour de marché. Le père est sur son âne; le fils chemine à ses côtés.

5

âne, donkey
route: en — pour retourner à la maison, on their way home
soir, evening

marché: jour de —, market day
chemine, walks
côtés: à ses —, beside him

— Tiens! dit un passant, le vieil égoïste! Il oblige son fils à marcher.

Pour le contenter, le père descend; le fils monte.

10 — Tiens! dit un autre passant, le garçon sans cœur! Il oblige son vieux père à marcher.

Alors, le fils descend et recommence à cheminer avec son père. Il n'y a plus personne sur l'âne.

— Tiens! regardez ce vieillard économe! dit un troisième passant. Il est si économe qu'il économise 15 même son âne. Il marche, son fils marche . . . et l'âne aussi. C'est même étonnant qu'il laisse marcher son âne!

— Montons tous les deux sur l'âne, propose timidement le fils.

20 — Bien, dit le vieillard.

Père et fils montent sur l'âne et continuent leur chemin.

— Tiens! dit un autre passant, regardez les deux fainéants montés sur ce pauvre petit âne tout fatigué!

25 — La seule autre manière est de porter l'animal sur mon dos, dit le vieillard exaspéré. Non, merci! Au diable les passants! au diable tout le monde! L'âne est à moi; c'est moi le maître. Dorénavant, je vais faire à ma façon, sans me préoccuper des opinions des autres.

Tiens!, Look!
passant, passerby
vieil: — égoïste, selfish old man
garçon, boy, lad
sans cœur, heartless
plus: Il n'y a — personne, There is no longer anyone
vieillard, old man
troisième, third
étonnant, astonishing
laisse, lets
chemin, way

fainéants, loafers
fatigué, tired
porter, to carry
dos, back
diable: Au —, Confound
monde: tout le —, everybody
moi: à —, mine
maître, master
Dorénavant, From now on
façon: je vais faire à ma —, I am going to do as I please

Assimilation Exercises

I. *Fill the blanks with the appropriate words:*

1. Un père et son fils sont en *route* pour retourner à la *maison*. 2. Le père est sur son *âne*; le fils *chemine* à ses côtés. 3. Le père descend; le fils *monte*. 4. «Tiens!» dit un des ____, «le garçon ____!» 5. Le fils descend et recommence à *cheminer* avec son père. 6. Il n'y a plus *personne* sur l'âne. 7. «Le vieillard est si économe qu'il économise *même* son âne,» dit un autre passant. 8. «Montons tous les deux,» propose *timidement* le fils. 9. «La seule autre manière est de *porter* l'animal sur mon *dos*,» dit le père. 10. Il s'écrie (*cries out*): «Dorénavant, je vais *faire* à ma *façon*.»

II. *Answer orally or in writing:*

1. Pourquoi le premier passant traite-t-il le père de vieil égoïste? 2. Pour contenter ce premier passant, que fait le père? 3. Que fait le fils? 4. Pourquoi un autre passant dit-il que le fils est sans cœur? 5. Qu'est-ce qu'un troisième passant trouve d'étonnant à propos du vieillard? 6. Qu'est-ce que le fils propose timidement? 7. Que dit un autre passant en voyant (*seeing*) le père et le fils montés tous les deux sur l'âne? 8. Quelle est la seule autre manière de faire? 9. Qu'est-ce qu'il dit qu'il va faire dorénavant?

Glanures

L'homme n'est qu'un roseau, le plus faible de la nature; mais c'est un roseau pensant.	Man is but a reed, Nature's weakest; but he is a thinking reed.

(BLAISE PASCAL, *1623–1662*)

Ce que l'on conçoit bien
    [s'énonce clairement,
Et les mots pour le dire
    [arrivent aisément.
    (NICOLAS BOILEAU, *1636–1711*)

What is well conceived is expressed clearly, and words to say it come with ease.

L'esprit qu'on veut avoir
    [gâte celui qu'on a.
    (LOUIS GRESSET, *1709–1777*)

He who shows off spoils his real wit.

La mémoire est toujours aux
    [ordres du cœur.
    (ANTOINE DE RIVAROL, *1753–1801*)

Memory is always at the command of the heart.

10. *L'homme entre deux âges*

It is difficult to find a woman who does not try, consciously or unconsciously, to impose her whims upon her husband and to reduce him to the state of hen-pecked submission. This at least appears to be La Fontaine's implication in his fable of THE MIDDLE-AGED MAN.

Un certain homme d'âge moyen veut se marier. Deux amoureuses le désirent pour mari, et il est indécis: laquelle choisir? Une de ces demoiselles est plus jeune que lui; l'autre, ₅

---

moyen: d'âge —, middle-aged
veut, wants
amoureuses, sweethearts
mari, husband

indécis, undecided
choisir: laquelle —, which (one) to choose

plus âgée. Il les fréquente toutes deux à tour de rôle
pour comparer leurs charmes et leurs mérites.

Notre homme a les cheveux gris. La plus jeune, tout
en simulant l'indifférence, lui arrache un à un ses
10 cheveux blancs pour le faire paraître aussi jeune qu'elle.
De l'autre côté, pour le faire paraître aussi vieux qu'elle,
la plus vieille lui arrache ses cheveux noirs.

C'est ainsi qu'un jour notre pauvre homme se trouve
complètement chauve. Il comprend enfin les grands
15 dangers auxquels il s'expose s'il se marie.

— Merci, dit l'homme à la tête chauve, pas de
mariage pour moi! Les femmes essaient toujours d'imposer leurs caprices à leur mari. Moi, je préfère ma
liberté. Bien obligé, charmantes demoiselles, de la leçon.

toutes deux, both	**côté: De l'autre —,** On the other
rôle: à tour de —, by turns	hand
cheveux, hair	**noirs,** black
gris, gray	**ainsi: C'est — que,** And so
blancs, white	**chauve,** bald
tout: — en, while	**enfin,** at last
arrache, pulls out	**homme: l'— à la tête chauve,** the
paraître, appear	bald-headed man
aussi . . . que, as . . . as	

Assimilation Exercises

I. *Fill the blanks with the appropriate words:*

1. Un homme d'âge moyen veut *se marier*. 2. Deux
amoureuses le désirent pour *mari*. 3. Une de ces
demoiselles est *plus* jeune *que* lui; l'autre, plus *âgée*
4. Il fréquente à *tour* de *rôle* les deux amoureuses.
5. La plus jeune lui arrache ses *cheveux* blancs. 6. La
plus *vieille* lui arrache ses cheveux *noirs*. 7. Un jour,
notre homme se trouve complètement *chauve*. 8. Les
femmes *essaient* toujours d'imposer leurs caprices à *leur*
mari.

II. *Answer orally or in writing:*

1. Que veut cet homme d'âge moyen? 2. Combien d'amoureuses le désirent pour mari? 3. Ces demoiselles sont-elles plus âgées ou plus jeunes que lui? 4. Pourquoi les fréquente-t-il toutes deux? 5. Que fait la plus jeune? 6. Que fait la plus vieille? 7. Selon (*according to*) notre homme, qu'est-ce que les femmes essaient toujours de faire?

Glanures

Voulez-vous qu'on croie du bien de vous? n'en dites pas. (BLAISE PASCAL, *1623–1662*)	Do you want people to think well of you? Say nothing about it.

La science n'a d'autre objet que la vérité . . . pour elle-même, sans aucun souci de ses conséquences, bonnes ou mauvaises . . . (GASTON PARIS, *1839–1903*)	Science has no other aim than truth . . . for its own sake, notwithstanding the consequences, whether good or bad . . .

Je hais comme la mort l'état
        [de plagiaire;
Mon verre n'est pas grand,
    [mais je bois dans mon verre.
    (ALFRED DE MUSSET, *1810–1857*)
	I despise plagiarism as much as death; the glass out of which I drink is not large, but it is my own.

. . . aux âmes bien nées
La valeur n'attend point le
    [nombre des années.
    (PIERRE CORNEILLE, *1606–1684*)
	. . . in a true-born soul,
	Valor does not depend on age.

11. *La jeune veuve* {vinda}

For a long time men have held the conviction, probably unjustified, that women are unpredictable; that they are as quick to make decisions as they are apt to change their minds. Does not the following little story about THE YOUNG WIDOW *seem to bear out this perennial claim?*

Une jeune femme pleure la mort de son mari et jure de ne jamais se consoler. La belle a un père, homme prudent et de bon jugement. Il la laisse d'abord pleurer; puis, un jour, il lui dit:

— Console-toi. C'est bien regrettable, c'est vrai; et je ne te dis pas de te remarier immédiatement;

---

veuve, widow
pleure, weeps over
mort, death

jure, swears
jamais: ne —, never
abord: d' —, at first

mais, courage! un de ces beaux jours je vais te présenter un jeune homme de qualité, honnête et beau, *10*
riche, et même supérieur à ton défunt mari.

— Ah! jamais, répond la veuve inconsolable. Le couvent est le seul époux que je désire.

Le père n'insiste pas.

Un mois passe; puis un autre; puis d'autres encore . . . *15*

Petit à petit, la jeune veuve abandonne le noir,
retourne à ses robes de couleur, à ses rubans, à ses
bijoux. Elle s'amuse, danse, et fréquente la société.
Elle ne parle plus de couvent, de défunt mari; le père,
pour sa part, ne parle plus de mariage.   *20*

Mais, un beau jour, incapable d'attendre plus longtemps, la belle va droit à son père et lui dit:

— Papa, où est le jeune homme que vous m'avez
promis comme mari?

beaux: un de ces — jours, one of these days	**noir: abandonne le —,** goes out of mourning
défunt, late	**rubans,** ribbons
époux, bridegroom	**bijoux,** jewels
mois, month	**droit,** straight

Assimilation Exercises

I. *Fill the blanks with the appropriate words:*

1. Une jeune veuve ____ la mort de son mari. 2. Le
père est un homme prudent et de ____ ____. 3. Il ne
lui dit pas de se remarier ____. 4. Il va lui ____ un
jeune homme de qualité, supérieur même à son ____
mari. 5. La jeune veuve répond: «____! Le couvent
est le ____ époux que je désire.» 6. Mais, un beau
jour, la jeune veuve abandonne le ____. 7. Elle
s'amuse, danse, et ____ la société. 8. Puis, incapable
d'____ plus longtemps, elle dit à son père: «Où est le
____ ____ que vous m'avez ____ comme mari?»

II. *Answer orally or in writing:*
1. Qui pleure la mort de son mari? 2. Qui est-ce que le père va présenter un jour à la jeune veuve? 3. Quand? 4. Qu'est-ce qu'elle abandonne petit à petit? 5. Qu'est-ce qu'elle commence à porter? 6. De quoi le père n'entend-il plus parler? 7. De quoi ne parle-t-il plus, lui? 8. Enfin, qu'est-ce que la belle demande un jour à son père?

Glanures

Proverbes	Proverbs
Tel se marie à la hâte qui s'en repent à loisir.	Marry in haste, repent at leisure.
Loin des yeux, loin du cœur.	Out of sight, out of mind.
Il ne faut pas lâcher la proie pour l'ombre.	Do not reach out for the shadow and lose the substance.
Les gros poissons mangent les petits.	Big fish live on little fish.
Fais ce que dois, advienne que pourra.	Do your duty, come what may.
Les hommes sont rares.	True men are rare.
L'union fait la force.	Unity makes for strength.
Il faut qu'une porte soit ouverte ou fermée.	One must decide one way or another.
Il n'y a que le premier pas qui coûte.	The first step over, the rest is easy.
Pierre qui roule n'amasse pas mousse.	A rolling stone gathers no moss.

12. *Les trois aveugles*

The youthful rider on the road from Paris to Compiègne was moved to compassion when THREE BLIND MEN *begged him for alms. But then doubt crept into his mind: "Would these three beggars be traveling entirely unattended if they were really blind?" Our story, taken from a thirteenth-century fabliau, shows how he determined the truth.*

Trois pauvres aveugles, un jour, quittent la ville de Compiègne et marchent seuls, sans guide, vers Senlis.

toward

pronounces

aveugles, blind men
Compiègne, Compiègne (*a town 52 miles northeast of Paris*)

Senlis, Senlis (*a town 18 miles southwest of Compiègne*)

41

5   Un comédien de Paris, à cheval, les rencontre sur la
route.
En entendant les pas du cheval, les trois mendiants
s'écrient:

— La charité, pour l'amour de Dieu . . . la charité!
10 Nous sommes aveugles.

Le comédien s'étonne de les voir voyager seuls, sans
guide, et se demande s'ils sont vraiment aveugles. Il
décide de s'amuser un peu à leurs dépens.

— Voici une pièce d'or pour vous trois, dit-il. Il la
15 leur montre, ne la leur donne pas, et la remet tranquillement dans sa bourse.

— Merci, mon bon monsieur, s'écrient tous les trois; et
chacun d'eux est persuadé que c'est un des deux autres qui
a le riche présent. Puis ils se disent entre eux: «C'est une
20 fortune! Retournons à Compiègne. Allons nous amuser,
bien manger, boire du bon vin, dormir dans un lit.»

Ils retournent donc à Compiègne et entrent dans un
hôtel.   Ils déclarent qu'ils ont de l'argent et on leur
prépare un repas superbe: viande, poisson, pain et vin
25 en abondance. Puis ils se couchent dans une chambre
confortable et dorment paisiblement.

Le lendemain matin, l'hôtelier veut être payé.

comédien, actor	**Allons,** Let us go
rencontre, meets	**manger,** eat
entendant: En —, Upon hearing	**boire,** drink
pas: — du cheval, hoof beats	**vin,** wine
mendiants, beggars	**dormir,** sleep
charité: La —, Alms	**lit,** bed
voyager, traveling	**repas,** meal
demande: se —, wonders	**viande,** meat
dépens: à leur —, at their expense	**poisson,** fish
or: pièce d'—, gold coin	**pain,** bread
remet: la —, puts it back	**couchent: se —,** go to bed
bourse, purse	**lendemain: Le — matin,** The next
chacun d'eux, each of them	morning

— Combien? demandent-ils.

— Dix francs.

— C'est une bagatelle.   *30*

Mais, comme l'hôtelier tend la main pour recevoir
son argent, les aveugles se demandent mutuellement
qui a la pièce d'or:

— Qui l'a? dit l'un.

— C'est toi qui l'as, dit l'autre.   *35*

— Pas moi, dit le troisième. C'est un de vous deux.

— Moi? je ne l'ai pas. C'est toi.

— Moi? Tu es fou. C'est toi qui l'as. Toi ou lui . . .

— Dépêchez-vous, s'écrie l'hôtelier impatient; payez-
moi à l'instant! Sinon, c'est la prison.   *40*

Enfin, au milieu de cette confusion, de ces cris et de
ces menaces, arrive le comédien.

— Laissez donc en paix ces pauvres gens, dit-il à
l'hôtelier; ils sont bien aveugles, et c'est moi qui vais
payer pour eux.   *45*

Et les trois mendiants reprennent la route de
Senlis . . .

Combien?, How much?
bagatelle, mere trifle
hôtelier, innkeeper
tend: — la main, stretches out his
  hand
fou, crazy
Dépêchez-vous, Hurry
Sinon, Or else
milieu: au — de, in the midst of

instant: à l'—, immediately
menaces: threats
**paix: Laissez donc en — ces
  pauvres gens,** Leave these poor
  people alone
bien, indeed
reprennent: — la route de Senlis,
  start out again on the road for
  Senlis

Assimilation Exercises

I. *Fill the blanks with the appropriate words:*

1. Trois pauvres aveugles marchent *Seuls*, sans guide,
vers Senlis.   2. Un comédien les rencontre sur la *route*.
3. Ils entendent les *pas* du cheval.   4. Le comédien

se demand s'ils sont vraiment aveugles. 5. Il leur dit: «Voici une pièce d'or pour vous trois.» 6. Il la leur montre, mais il la remet dans sa bourse. 7. Les trois aveugles se disent: «Allons nous amuser à Compiègne.» 8. Ils entrent dans un hôtel. 9. Ils déclarent qu'ils ont de l'argent 10. L'hôtelier dit: «Payez-moi, à l'instant, c'est la prison.» 11. Le comédien arrive et dit: «Laissez donc en paix ces pauvres gens. 12. Je vais payer pour eux.»

II. *Answer orally or in writing:*

1. Combien d'aveugles y a-t-il? 2. Combien de comédiens y a-t-il? 3. Où se trouvent les aveugles quand le comédien les rencontre la première fois? 4. De quoi s'étonne le comédien? 5. Pourquoi les aveugles décident-ils de retourner à Compiègne? 6. En quoi consiste le superbe repas qu'ils prennent à l'hôtel? 7. Qu'est-ce que les aveugles déclarent à l'hôtelier? 8. Qu'est-ce qu'ils se demandent mutuellement? 9. De quoi l'hôtelier les menace-t-il? 10. Que dit le comédien à la fin?

Glanures

Il est bien sourd, tant mieux pour lui; mais non muet, tant pis pour elle.	He is quite deaf, luckily for him; but not mute, unfortunately for her.
(ALEXIS PIRON, *1689–1773*)	

Épitaphes

Ci-gît Piron, qui ne fut rien,	Here lies Piron, who was nobody,
Pas même académicien.	Not even a member of the Academy.
(ALEXIS PIRON, *1689–1773*)	

Ci-gît ma femme: oh! qu'elle Here lies my wife: I shall not
    [est bien   sigh,
Pour son repos et pour le Now she can rest and so can I.
    [mien.

    (JACQUES DU LORENS, *1583-1658*)

13. Renard et Isengrin

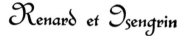

*In times when food was scarce
and roads were untraveled and
perilous, cunning and subterfuge
were often the only recourse the
lowly had to stave off starvation
and avoid being bullied by over-
bearing lords; hence, the esteem
in which shrewdness was held by
the people and the popularity en-
joyed by the* ROMAN DE RENARD
in thirteenth-century France.

PREMIÈRE PARTIE

Renard et les anguilles

C'est l'hiver. Il fait
froid. Renard n'a plus de
provisions. La faim le
force à sortir. Il arrive à une route et s'arrête pour
5 attendre une bonne occasion. Bientôt, deux marchands

Renard, Fox	**faim,** hunger
anguilles, eels	**arrête: s'—,** stops
hiver, winter	**occasion,** opportunity
froid: Il fait —, It is cold	**bientôt,** soon

46

passent et Renard remarque que leur charrette est
chargée de poissons. Il les laisse passer, puis il court se
placer là-bas, bien loin en avant sur la route. Il se couche
au milieu du chemin et fait le mort, les yeux clos, la
gueule à demi ouverte et retenant sa respiration. Les 10
marchands bientôt l'aperçoivent. L'un dit:

— C'est un renard ou un chien.

— C'est un renard! dit l'autre.

Ils descendent vite de leur charrette et examinent
Renard à loisir, car il ne bouge pas plus qu'un vrai 15
mort. Ils le touchent, palpent sa fourrure et en estiment
déjà la valeur.

— Mettons cet animal sur notre charrette, dit l'un.

Ils le lancent alors sur leur charrette et continuent
leur voyage. Ils sont contents et se disent: «Ce soir, à 20
la maison, nous allons lui enlever sa fourrure.»

Mais Renard a d'autres plans. Il se couche à côté
des paniers qui contiennent les poissons, en ouvre un et
en tire, sachez-le! trente harengs, qu'il mange l'un après
l'autre. Ensuite il attaque un autre panier.   25

— Ce sont des anguilles!

Ces anguilles sont attachées plusieurs ensemble avec
une corde. Renard passe sa tête dans cette corde et se
roule les anguilles autour du cou en un triple collier.

---

charrette, cart
chargée: — de, loaded with
là-bas, yonder, down there
avant: en —, ahead of them
couche: se —, lies down
mort: fait le —, plays dead
gueule, mouth (*of an animal*)
demi: à — ouverte, half open
retenant: — sa respiration, hold-
   ing his breath
chien, dog

vite, quickly
loisir: à —, leisurely
bouge, stirs
palpent: — sa fourrure, feel his
   fur
lancent, fling
enlever, remove
paniers, baskets
sachez-le!, mind you!
Ensuite, Then
cou: autour du —, around his neck

30   — Voilà qui est fait!

Maintenant, il faut descendre. Il étudie la meilleure manière de sauter. Bientôt, le voilà sur la route avec toutes ses anguilles. Il crie aux marchands:

— Allez, mes braves gens! Je vous permets de garder
35 le reste de vos poissons. Moi, je garde ma fourrure!

Quand les marchands s'aperçoivent de la ruse de Renard, ils crient, se fâchent, se traitent d'imbéciles. Cependant Renard, gros et gras, avec ses anguilles autour du cou, trotte joyeux et fier vers sa maison.

40 Sa femme, Hermeline, et ses deux fils, Percehaie et Malebranche, s'élancent à sa rencontre. Renard entre vite dans la maison, suivi de toute sa famille, et ferme bien la porte. On coupe les anguilles en morceaux, et bientôt ces morceaux rôtissent au milieu d'une odeur
45 délectable.

Voilà: — qui est fait!, That's done!	**gras**, fat
étudie, studies	**fier**, proud
sauter, jump off	**élancent: s'— à sa rencontre,**
gens: braves —, good people	rush to meet him
garder, keep	**coupe: On —**, They cut
fâchent: se —, get angry	**morceaux**, pieces
traitent: se — de, call themselves	**rôtissent**, fry

Assimilation Exercises

I. *Fill the blanks with the appropriate words:*

1. C'est l'hiver; il fait ____.   2. La faim force Renard à ____.   3. La charrette des marchands est ____ de poissons.   4. Renard se ____ au milieu du chemin. 5. Les marchands ____ vite de leur charrette et ____ Renard.   6. Un des marchands dit: «____ cet animal sur notre charrette.»   7. Renard mange trente ____. 8. Dans un autre panier il trouve des ____.   9. Il se roule les anguilles ____ ____ cou.   10. Les marchands

crient, se traitent d'____. 11. Renard trotte joyeux et fier ____ sa maison. 12. Bientôt les anguilles ____ au milieu d'une ____ délectable.

II. *Answer orally or in writing:*

1. Qu'est-ce qui force Renard à sortir? 2. De quoi la charrette des marchands est-elle chargée? 3. Où est-ce que Renard se couche? 4. Où est-ce que les marchands le lancent? 5. Combien de harengs Renard mange-t-il? 6. Quelle sorte de poissons y a-t-il dans l'autre panier? 7. Comment arrange-t-il les anguilles pour pouvoir les emporter? 8. Dans quelle direction trotte-t-il avec ses anguilles autour du cou? 9. Comment sa femme et ses deux fils le reçoivent-ils? 10. Qu'advient-il (*What becomes*) des anguilles?

Glanures

Ne crois pas légèrement; considère d'abord quel est le but de celui qui te parle.	Do not believe lightly; first appraise the motives of the one who speaks to you.
(EUGÈNE SCRIBE, *1791–1861*)	

Pour être heureux, pensez aux maux dont vous êtes exempts.	In order to be happy, think of the ills you have been spared.
(JOSEPH JOUBERT, *1754–1824*)	

Il n'y a au monde que deux manières de s'élever, ou par sa propre industrie, ou par l'imbécilité des autres.	There are but two ways for a man to rise in the social scale, either by his own effort or by the stupidity of others.
(JEAN DE LA BRUYÈRE, *1645–1696*)	

14. Renard et Isengrin

Isengrin et les poissons

Il fait nuit. Isengrin le loup est affamé, et Renard va lui montrer comment on attrape du poisson. Les deux trottent
5 vers un certain étang du voisinage. C'est l'hiver, et l'étang est gelé. Le ciel est clair et plein d'étoiles.

— Eh bien! nous voici, dit Renard.

— Nous voici, répète le loup comme un écho. Et maintenant, que dois-je faire?

10 Il y a un trou dans la glace, un trou qu'a fait récemment un paysan pour donner à boire à ses bêtes. Près du trou il y a un seau.

nuit: Il fait —, It is nighttime
loup, wolf
affamé, famished
attrape, catches
étang, pond
voisinage, neighborhood
gelé, frozen

ciel, sky
étoiles, stars
trou, hole
glace, ice
bêtes, cattle
seau, pail

— C'est bien simple, dit Renard. Nous allons attacher
le seau à votre queue; plongez-le dans le trou . . . et
attendez.   *15*
— Bon! c'est fait.
— Maintenant, dit Renard, restez tranquille pour
permettre aux poissons d'entrer dans le seau. Moi, je
vais vous attendre dans ce buisson là-bas. Bonne chance!
Isengrin reste sur la glace. Il attend. Il attend bien *20*
longtemps. L'eau gèle graduellement autour de sa
queue.
— Que c'est lourd, pense Isengrin avec satisfaction;
les poissons commencent à venir.
Au lever du jour, Isengrin essaie de remonter le seau. *25*
Horreur! Ça ne remonte pas!
— Renard! s'écrie-t-il, venez m'aider. J'ai pris trop
de poissons et le seau est devenu trop lourd!
Or, le seigneur du voisinage, ce matin-là, s'est levé de
bonne heure pour aller à la chasse. Un de ses valets, *30*
avec deux chiens en laisse, arrive le premier à l'étang.
Il voit Isengrin.
— Hé! hé! . . . Ho! ho! . . . Au loup! au loup! . . .
crie-t-il de toutes ses forces, pendant qu'Isengrin tire,
tire à s'arracher la peau.   *35*
Seigneur, valets, chiens, tous accourent. Le seigneur
lève son épée et frappe. Mais il manque son coup, tombe

queue, tail	**seigneur,** lord
buisson, thicket	**levé: s'est —,** got up
chance, luck	**heure: de bonne —,** early
lourd, heavy	**chasse: aller à la —,** go hunting
lever: Au — du jour, At daybreak	**laisse: en —,** on the leash
remonter, pull up	**arracher: à s'— la peau,** to the
Ça: — ne remonte pas!, It does	point of tearing off his skin
not come up!	**accourent,** come running
pris, caught	**frappe,** strikes
Or, Well then	**manque: — son coup,** misses

sur la glace et, sans le vouloir, coupe la queue du
loup.

40   Isengrin hurle, et bondit. Il s'élance dans la plaine,
suivi des chiens et des chasseurs.

Queue et seau restent dans la glace, témoins muets
de la ruse de Renard et de la stupidité d'Isengrin le
loup.

coupe, cuts off	**élance: s'—,** rushes forward
hurle, howls	**chasseurs,** hunters
bondit, jumps forward	**témoins: — muets,** silent witnesses

Assimilation Exercises

I. *Fill the blanks with the appropriate words:*

1. Renard va montrer au loup comment on _attrape_ du
poisson. 2. C'est l'hiver, et l'étang est _gelé_. 3. Il y
a un _trou_ dans la glace. 4. Près du trou il y a un _seau_.
5. On attache le seau à la _queue_ du loup. 6. Le ciel
est clair et plein d'_étoiles_ 7. L'eau gèle ____ de la
queue du loup. 8. Au lever du jour, Isengrin _essaie_ de
remonter le seau. 9. Un seigneur lui ____ la queue.
10. Isengrin _hurle_, et _bondit_. 11. Queue et seau _restent_
dans la glace.

II. *Answer orally or in writing:*

1. Qu'est-ce que Renard va montrer au loup? 2. Dans
quelle direction trottent-ils? 3. Pourquoi? 4. En
quelle saison sommes-nous? 5. Qui a fait le trou qu'il
y a dans la glace? 6. Qu'est-ce qu'on attache à la queue
du loup? 7. Où est-ce qu'on le plonge? 8. Comment
expliquez-vous qu'Isengrin ne peut plus remonter le seau?
9. Qui lui coupe la queue? 10. Que fait Isengrin?
11. Qu'est-ce qui reste pris dans la glace?

Glanures

La Cigale et la Fourmi

La cigale, ayant chanté
    Tout l'été,
Se trouva fort dépourvue
Quand la bise fut venue:
Pas un seul petit morceau
De mouche ou de vermis-
      [seau.
Elle alla crier famine
Chez la fourmi sa voisine,
La priant de lui prêter
Quelque grain pour sub-
      [sister
Jusqu'à la saison nouvelle.
«Je vous paierai, lui dit-elle,
Avant l'oût, foi d'animal,
Intérêt et principal.»
La fourmi n'est pas prêteuse:
C'est là son moindre défaut.
«Que faisiez-vous au temps
      [chaud?
Dit-elle à cette emprunteuse.
— Nuit et jour à tout venant
Je chantais, ne vous déplaise.
— Vous chantiez? j'en suis
      [fort aise:
Eh bien! dansez maintenant.»

The Grasshopper and the Ant

The grasshopper, who had sung
All summer long,
Found he had no grain at all
When the cold came in the fall:
Not a single bit of meat,
Fly or worm, had he to eat.
He went crying to the store
Of the ant, who lived next
    door,
Begging for a little clover,
Seed or grain, to tide him over
Till the frost would leave the
    ground.
Said he, "I'll pay back com-
    pound
Interest and principal,
As sure as I'm an animal."
Ants don't like to lend a dime;
(That's one failing of the ant.)
So she asked the mendicant:
"Did you work in summer-
    time?"
"Every night and day I'd spend
Singing for the people farm-
    ing."
"So you sang? How very
    charming!
Go and dance now, little
    friend."

(JEAN DE LA FONTAINE, *1621–1695*)

15. *La couverture*

While most French medieval tales are light, rollicking satires deriding the weaknesses of human nature, THE BLANKET *strikes a deeper and more serious chord. Its real and disturbing theme of filial ingratitude has recurred again and again in the literature of every age. However, unlike the stories of many a King Lear,* LA COUVERTURE *shows how, perhaps frequently enough, redress may balance injustice.*

Un riche bourgeois d'Abbeville est forcé par des gens injustes et querelleurs de quitter sa ville natale et de se réfugier à
5 Paris. Il s'y établit donc avec son épouse et son fils

---

couverture, blanket
bourgeois, citizen
Abbeville, Abbeville (*a town in northern France*)

querelleurs, quarrelsome
natal: ville —, birthplace
réfugier: se —, seek refuge
épouse, wife

54

unique; il se fait marchand et, grâce à son amabilité, sa
douceur, sa charité, il est bientôt respecté, aimé et
honoré de tout le monde. Il persévère sept ans au
travail et accumule une fortune considérable.

Malheureusement, la Mort, qui ne respecte ni hon- 10
nêteté ni richesse, arrive sans s'annoncer chez cet être
heureux et lui enlève son épouse bien-aimée.

Le voilà maintenant seul avec son fils.

Ce fils au cœur tendre se désole et pleure. Malgré
la profondeur de son propre chagrin, le père essaie de le 15
consoler. Il lui dit:

— Mon fils, ta mère est morte: la mort est inexorable; chacun de nous passe par là. Mais pense plutôt
aux raisons que tu as de te consoler: te voilà beau jeune
homme; tu es en âge de te marier. Moi, je suis vieux, 20
et si je trouve pour toi une femme de famille noble,
compte sur mes biens pour contribuer à ton bonheur.

Or, il y avait à Paris trois frères de la plus haute
noblesse, tous trois chevaliers et célèbres par leurs
exploits militaires. L'un d'eux avait une fille. C'est elle 25
que le riche bourgeois désirait comme épouse pour son
fils. Seulement, le chevalier impose des conditions
invraisemblables. Il demande au riche bourgeois:

— Combien comptez-vous donner à votre fils si je
consens à ce mariage? 30

fait: se —, becomes	plutôt, rather
grâce: — à, thanks to	compte, count
douceur, gentleness	biens, wealth, property
Malheureusement, Unfortunately	bonheur, happiness
être, being	noblesse, nobility
enlève, snatches away	chevaliers, knights
bien-aimée, beloved	célèbres, famous
désole: se —, grieves	invraisemblables, preposterous
profondeur, depth	comptez-vous, do you plan
chagrin, grief	

— J'ai cent mille francs en tout. J'ai gagné cette
fortune honnêtement, et j'en donne volontiers la
moitié à mon fils en faveur de ce mariage.

— Non, cela ne suffit pas, dit le chevalier. Impossible
35 d'accepter cette offre.

— Eh bien! alors, quelles sont vos conditions?
demande le bourgeois.

— Donnez votre fortune tout entière à votre fils.
Sinon, la demoiselle n'est pas pour lui.

40   — Je consens, dit le bourgeois après quelques moments
de profonde réflexion.

Le mariage a promptement lieu, et le bonheur des
jeunes époux est parfait et sans limites. Mais le bourgeois n'a plus rien et se voit dans la nécessité de compter
45 entièrement sur eux pour sa subsistance pour le reste
de sa vie.

Un fils arrive un jour dans cette famille heureuse.
L'enfant grandit et se révèle intelligent et bon. Il
entend parler du sacrifice de jadis de son grand-père,
50 et il se promet de ne jamais l'oublier.

Les années passent. Le grand-père commence à se
faire très vieux. Il ne marche plus qu'avec peine, à
l'aide d'un bâton. Ce vieillard faible et infirme encombre
maintenant la maison de sa présence. La femme n'a
55 pour lui que dédain et aversion. Un jour, exaspérée,
elle s'adresse ainsi à son mari:

---

volontiers, gladly
moitié, half
suffit: cela ne — pas, that is not
   enough
lieu: a . . . —, takes place
époux: jeunes —, young couple
heureuse, happy
grandit, grows

jadis: du sacrifice de — de son
   grand-père, of the sacrifice his
   grandfather had made years before
faire: se —, grow
peine, difficulty
bâton, stick
dédain, scorn

— Renvoyez donc votre père. Ce vieux me répugne. Je perds l'appétit quand je le vois. Impossible de manger lorsqu'il est là. L'estomac s'y refuse. Renvoyez-le donc!   60

— Oui, si vous insistez; je vais le renvoyer, dit le mari qui ne veut pas contrarier sa femme.

Alors, il va chercher son père et lui parle en ces termes:

— Père, père, partez, je vous en prie. C'est bien 65 malgré moi que je vous demande d'aller chercher ailleurs votre subsistance, mais voilà treize ans que vous mangez mon pain. Cela suffit. Partez! . . .

En entendant ces mots si durs, le vieillard pleure. Il réplique: 70

— Ah! cher fils, que me dis-tu là? Pour l'amour de Dieu, permets-moi de vivre à ta porte, dans cette remise. Ne me chasse pas. Je mange si peu de pain. Où puis-je donc aller? Je n'ai pas même un sou, et je suis si vieux.   75

— N'importe. Allez-vous-en par la ville. D'autres vont vous recevoir.

— D'autres vont me recevoir quand toi, mon propre fils, tu me chasses? Non, ne le crois pas. Et, tout en larmes, le vieillard ajoute: «Au moins, donne-moi une 80 de tes couvertures pour me protéger contre le froid. Le froid est cause de grandes souffrances pour moi. Donne-moi au moins une de tes couvertures.»

Renvoyez, Send away
répugne: me —, disgusts me
contrarier, to cross
prie: je vous en —, I beg you
ailleurs, somewhere else
**voilà: — treize ans que vous man-
gez mon pain,** you have been
eating my bread for thirteen years

durs, harsh
réplique, answers
vivre, live
remise, coach house
importe: N'—, Never mind
Allez:— -vous-en par la ville, Get
out and roam about in the city
larmes, tears

— Je n'en ai pas pour vous, répond le fils ingrat.

85   — Alors, donne-moi une couverture à cheval . . .

Finalement, désirant terminer la discussion, le jeune homme consent. Il appelle son fils et lui dit:

— Va donc à l'étable, prends la meilleure couverture du cheval noir, et donne-la à ton grand-père.

90   — Grand-père, dit l'enfant, ayez la bonté de venir avec moi.

Le vieillard l'accompagne, désolé. L'enfant prend la meilleure couverture, la plus longue et la plus large, la plie par le milieu, puis, avec son couteau, il la coupe

95   en deux et en donne la moitié au vieux destitué.

— Enfant, s'écrie-t-il, que fais-tu là? Ton père t'a dit de me donner une couverture, mais tout entière, sans doute. Vraiment, tu es bien cruel pour moi. Je vais en informer ton père.

100   — Dites-le-lui, si vous voulez.

— Mon fils, s'exclame le père, surpris de l'inexplicable conduite de l'enfant, ne t'ai-je pas dit de donner une couverture à ton grand-père, la meilleure? Donne-lui-en une tout entière.

105   — Ah! non, répond l'enfant; rien que la moitié.

— Pourquoi, rien que la moitié?

— L'autre moitié, je la garde pour vous, mon père, car je me propose bien de vous dire à mon tour, un jour: «Partez, vieux! Votre présence m'importune.»

110   A ces mots, le jeune homme, confus et bouleversé, se

---

ingrat, ungrateful
couverture: — à cheval, horse
  blanket
étable, stable
bonté: ayez la — de, be kind
  enough to
désolé, disconsolate

plie, folds
couteau, knife
coupe: la — en deux, cuts it in half
rien: — que, only
importune: m'—, is getting on my
  nerves
bouleversé, upset

met à réfléchir profondément. Puis, se tournant vers le vieillard, il lui dit, tout honteux:

— Père, revenez dans cette maison, qui, après tout, est bien la vôtre. J'ai été ingrat envers vous. Désormais, c'est vous qui êtes le maître ici. Je vous réserve la place 115 d'honneur à table, les meilleurs vins, les morceaux les plus fins, la meilleure chambre, avec un bon feu dans la cheminée, car, c'est de vos biens que je suis riche. Et toi, mon fils, merci.

---

réfléchir: se met à — profondé-ment, sinks into deep thought
honteux: tout —, very much ashamed

envers, toward
Désormais, From now on
fins: les plus —, the choicest

Assimilation Exercises

I. *Fill the blanks with the appropriate words:* 1. Un riche bourgeois d'Abbeville est forcé de quitter sa ville natale. 2. Il se réfugie à Paris. 3. Il est respecté, aimé et honoré de tout le monde. 4. Il persévère sept ans au travail. 5. La mort lui enlève son épouse bien-aimée. 6. Le fils se désole et pleure. 7. Son père lui dit: «Pense plutôt aux raisons que tu as de te consoler; puis (*besides*) tu es en âge de te marier.» 8. C'est la fille d'un certain chevalier célèbre que le père désire comme épouse pour son fils. 9. Le bourgeois doit donner sa fortune tout entière en faveur de ce mariage. 10. Les jeunes gens se marient, et un fils arrive un jour dans cette famille heureuse. 11. Les années passent; le vieillard devient de plus en plus faible et infirme. 12. Il encombre la maison de sa présence. 13. Un jour, le jeune homme parle en ces mots au vieillard: «Père, père, partez, je vous en prie.» 14. Le vieillard demande

au moins une *couverture*. 15. Il demande une couverture
pour se *protéger* contre le *froid*. 16. Le petit-fils (*grandson*)
va chercher une couverture à ____ pour son *grand-père*.
17. L'enfant *coupe* la couverture en deux. 18. Puis il
dit à son père: «L'autre *moitié* de la couverture, je la
garde pour vous.»

II. *Answer orally or in writing:*

1. Dans quelle ville est-ce que le riche bourgeois
d'Abbeville s'établit? 2. Grâce à quoi est-il respecté,
aimé et honoré de tout le monde? 3. Qui meurt à
cette époque-là? 4. Quelle jeune fille le bourgeois
désire-t-il comme épouse pour son fils? 5. Quelle
partie de sa fortune est-ce qu'on lui demande en faveur
de ce mariage? 6. Sur qui le riche bourgeois est-il
maintenant obligé de compter pour sa subsistance?
7. Qui arrive, un jour, dans cette famille heureuse?
8. Qu'est-ce que la femme demande à son mari à propos du vieillard? 9. Qu'est-ce que le mari répond?
10. Pourquoi le vieillard demande-t-il une couverture?
11. Que répond le fils ingrat? 12. Qu'est-ce qu'il dit
enfin à son enfant? 13. Quelle couverture est-ce que
l'enfant choisit? 14. Qu'est-ce qu'il en fait? 15. Qu'est-
ce que le petit garçon se propose de dire à son tour
à son père?

Glanures

La raison du plus fort est [toujours la meilleure.	Might is right.
Il se faut entr'aider; c'est la [loi de nature.	The necessity of mutual help has been decreed by nature itself.

On a souvent besoin d'un
[plus petit que soi.

One often needs the help of
lesser people.

Qu'un ami véritable est une
[douce chose!

How comforting is a true
friend!

A l'œuvre on connaît l'ar-
[tisan.

The product bears witness to
the craftsman.

(JEAN DE LA FONTAINE, *1621–1695*)

16. Le cuvier

The story takes us back to medieval France. The setting: the home of humble folk, early in the morning on a washday. Who is doing the washing? Why, Jacquinot, the puny husband, of course. His big, strong wife is still indulging in sleep. The formidable shrew has Jacquinot wrapped around her little finger.

But have we not been told that shrews can be tamed?

Il y a du feu dans la grande cheminée; sur le feu, de l'eau qui chauffe. C'est le jour de la lessive. Un peu partout, sur le

cuvier, vat
feu, fire
chauffe, is heating
62

lessive: jour de la —, washday
partout: Un peu —, Scattered everywhere

plancher, sur la table, dans les coins, il y a de grosses 5
piles de linge, et, à côté de la cheminée, un immense
cuvier, vaste et profond comme un vrai réservoir.

Il est six heures du matin. Jacquinot arrive avec un
autre paquet de linge. Sa femme lui a ordonné de faire
la lessive. Elle est encore couchée, elle. Lui, il est debout 10
depuis longtemps. Il est fatigué et de mauvaise humeur.
Il murmure, il se révolte contre cette injustice. C'est
lui qui est obligé de faire tous les travaux de la maison.
Il est assez petit, lui; elle, elle est bien corpulente.
«Brrr! mon Dieu, quel monstre de femme! Pourquoi me 15
suis-je marié? Il n'y a qu'une explication possible, se
dit-il. C'est le diable qui m'a poussé dans le mariage!»

Mais, voici la femme elle-même qui arrive maintenant. Énorme, formidable, elle se plante devant son
petit mari et lui crie, furieuse, en le menaçant de la 20
main:

— Imbécile! Tu n'as pas encore commencé la lessive?

— Mais . . .

— Dépêche-toi, car tu as encore un tas d'autres choses
à faire avant le petit déjeuner.   25

— Mais . . .

— Il n'y a pas de «mais»!

Ce n'est pas tout: voici maintenant la belle-mère de
Jacquinot qui arrive à son tour. Elle a sa canne pour
s'aider à marcher, et aussi pour faire marcher Jacquinot. 30

plancher, floor	**poussé,** pushed
coins, corners	**main: de la —,** with her hand
linge, laundry	**tas,** lot
Jacquinot, Jimmy	**petit déjeuner,** breakfast
paquet, bundle	**belle-mère,** mother-in-law
debout, up	**marcher: pour faire —** Jacquinot,
murmure, mumbles	to keep Jimmy on the go
diable, devil	

— Jacquinot, dit la belle-mère, il faut obéir à votre femme. Votre femme a toujours raison. Et si elle emploie souvent le bâton, c'est pour votre bien. C'est pour vous donner de l'énergie, parce qu'elle vous aime. Oui,
35   c'est par amour.

— Par amour!... le bâton... par amour!

Jacquinot a un grand mouvement de révolte, mais il se calme aussitôt devant la canne levée de sa belle-mère, et va se placer dans un coin, comme un petit chien.

40   Maintenant, sa femme et sa belle-mère, l'une après l'autre, et même simultanément, lui énumèrent ses nombreux devoirs journaliers:

ELLE. — Tu vas laver le linge du bébé.

LUI. — Le linge du bébé? Pouah!

45   ELLE. — Tu vas préparer la farine et faire le pain.

LA BELLE-MÈRE. — Vous allez faire le beurre.

ELLE. — Tu vas te lever toujours le premier, pour chauffer ma chemise.

LA BELLE-MÈRE. — Oui, puis vous allez faire la cuisine.

50   ELLE. — Tu vas toujours te lever, la nuit, si le bébé pleure; tu vas le calmer, le promener, le nettoyer.

LUI. — Arrêtez! arrêtez! je n'ai pas de mémoire. Impossible de me rappeler tout ça.

ELLE. — Impossible? Alors, écris-le.

55   LA BELLE-MÈRE. — Oui, oui, c'est ça. Écrivez! ça va vous rappeler vos devoirs, tous vos devoirs.

---

raison: a toujours —, is always right
bien: pour votre —, for your own good
aussitôt, at once
journaliers: devoirs —, daily chores
laver, to wash
farine, flour
beurre, butter
cuisine: faire la —, to do the cooking
promener, walk
nettoyer, change
rappeler: de me —, to remember

Jacquinot n'a pas le courage de refuser d'obéir et va chercher de quoi écrire. Il s'installe sur la table à côté d'une pile de linge pour se protéger un peu, et se soumet à la pénible dictée. Il roule la langue, roule les yeux, *60* répète les syllabes et les mots, fait des erreurs, puis recommence sans cesse au milieu des vociférations des deux femmes. Enfin, la liste de ses devoirs journaliers est terminée:

Lui. — C'est tout!... et c'est bien assez! Et ce qui *65* n'est pas sur ma liste n'est pas mon devoir et ne me concerne pas.

Elle. — Tu vas faire tout ce que je te commande. Commence par la lessive! Prends ce linge-là! (*Jacquinot ne bouge pas.*) Prends-le donc, te dis-je, sinon... (*Elle 70 lève la main.*)

Lui. — Oui, oui... mais... je... ne...

Elle. — Je... ne... quoi?

Lui. — Je ne sais pas.

Elle. — Ah! tu ne sais pas? Eh bien! je vais te mon- *75* trer, moi!...

Et voilà l'énorme femme qui bondit dans la direction de Jacquinot, sa grosse main levée. Jacquinot est petit et agile, et court dans la maison, à droite, à gauche, partout, autour des piles de linge, autour de la table, *80* puis finalement autour du cuvier, toujours pourchassé par sa femme.

Mais elle commence à se fatiguer et désire en finir.

---

quoi: de — écrire, some writing
  material
soumet: se —, submits
pénible, irksome
dictée, dictation
langue, tongue
cesse: recommence sans —, begins
  over and over

sais: Je ne — pas, I don't know
  how
gauche, left
pourchassé, pursued
fatiguer: se —, get tired
finir: en —, to get it over with

Alors, prestement, elle essaie d'attraper son mari par-
85 dessus le cuvier. Elle s'élance, mais la distance est trop
grande et le mari trop loin. . . . Vlan! elle tombe dans le
grand cuvier, dans le profond cuvier tout rempli d'eau
savonneuse.

Jacquinot voit les pieds de sa femme s'agiter furieuse-
90 ment en l'air, tandis que sa tête submergée touche le
fond du cuvier. Il pense avec une légitime satisfaction:

— Comme l'eau savonneuse doit être bonne à boire!

Enfin, après des efforts incalculables, la grosse femme
accomplit sa rotation et sa tête apparaît par-dessus le
95 bord du cuvier. Ses yeux sont rouges. Elle a de l'eau
savonneuse plein la bouche, plein le nez, plein les
oreilles.

— Mon bon petit mari, glou, glou, glou . . . viens
donc, ra! . . . gra! . . . viens vite . . . ra! . . . gra! . . .
100 Je vais mourir, glou, glou, glou. . . . Aide-moi, ra! . . .
gra! . . . mon chéri, mon chéri, glou, glou, glou . . .

Mais Jacquinot la regarde en silence, et va tranquillement consulter sa liste, la fameuse liste des devoirs
journaliers. Il la lit toute, d'un bout à l'autre, puis la
105 relit avec grande attention, et cherche, cherche, sans se
presser. Non, ce n'est pas sur sa liste.

Lui. — Te tirer de là? Mais, ma chère femme, ma
chérie, ce n'est pas sur ma liste; ce n'est pas mon affaire.

prestement, presto
par-dessus, over the top of
Vlan!, Plunk!
rempli, filled
savonneuse, soapy
tandis que, while
fond, bottom
bord, edge
Elle . . . oreilles, Her mouth, nose
    and ears are filled with soapy
    water

glou . . . , ra! . . . gra! . . . , (gur-
    gling sounds)
chéri, darling
bout: d'un — à l'autre, from top
    to bottom
presser: sans se —, without hur-
    rying
tirer: Te — de là?, Get you out of
    there?
affaire: ce n'est pas mon —, that
    is none of my business

ELLE. — Ah! misérable, tu veux donc ma mort! *110*
Donne-moi la main.

LUI. — Ce n'est pas sur ma liste.

ELLE. — Si tu ne veux pas me tirer d'ici, glou, glou,
glou . . . appelle au moins ma mère.

LUI. — Ta mère? (*Il cherche toujours sur sa liste*). *115*
Je le regrette beaucoup, mais cela non plus n'est pas sur
ma liste.

ELLE. — Maman! maman! . . . glou, glou, glou . . . au
secours! au secours! . . . gra! . . . gra! . . . gra! . . .

Enfin, soumise et domptée, la formidable femme *120*
promet d'obéir à son mari, d'être plus raisonnable à
l'avenir. Elle promet aussi que, dorénavant, chacun va
garder sa place dans la maison et dans la famille.

MORALE: Femme, n'exploite jamais ton mari.

misérable, wretch	**soumise,** subdued
plus: non —, not . . . either	**domptée,** tamed
secours: Au —!, Help!	**avenir: à l'—,** in the future

Assimilation Exercises

I. *Fill the blanks with the appropriate words:*

1. Il y a du ____ dans la cheminée. 2. C'est le jour
de la ____. 3. Il y a un peu partout de grosses ____ de
____. 4. La femme de Jacquinot lui ____ ____ de faire
la lessive. 5. Lui, il est ____ depuis longtemps.
6. C'est lui qui est obligé de faire tous les ____ de la
maison. 7. «C'est le diable qui m'a ____ dans le
mariage,» se dit Jacquinot. 8. Sa femme lui dit: «Tu
as encore un ____ d'autres choses à faire.» 9. La belle-
mère a sa canne pour s'aider à ____, et pour ____ marcher Jacquinot. 10. Elle dit: «Jacquinot, votre femme
____ toujours ____.» 11. Elle ajoute: «Si elle emploie
souvent le bâton, c'est pour votre ____.» 12. Jacquinot

va se placer dans un ＿＿, comme un petit ＿＿.
13. Les deux femmes lui énumèrent ses nombreux ＿＿
journaliers.   14. Jacquinot écrit avec grande difficulté.
Il roule la ＿＿, roule les ＿＿, et fait des ＿＿.
15. Mais Jacquinot dit: «Ce qui n'est pas sur ma liste
n'est pas mon ＿＿.»   16. Elle essaie d'attraper son
mari par-dessus le ＿＿.   17. Elle tombe dans l'eau
＿＿.   18. Elle crie: «Mon bon petit mari, viens ＿＿!
Je vais ＿＿.»   19. Jacquinot répond: «Ce n'est pas sur
ma ＿＿; ce n'est pas mon ＿＿.»

II. *Answer orally or in writing:*

1. Qu'est-ce qu'il y a dans la cheminée?   2. Qu'est-ce
qu'il y a sur le feu?   3. Qu'est-ce qu'il y a à côté de la
cheminée?   4. Quelle sorte de cuvier est-ce que c'est?
5. Où sont les piles de linge?   6. Qu'est-ce que Jacquinot est obligé de faire?   7. Quelles sont les deux
fonctions de la canne de la belle-mère de Jacquinot?
8. Qu'est-ce que les deux femmes énumèrent maintenant à Jacquinot?   9. Qu'est-ce que Jacquinot répond lorsqu'il apprend qu'il va laver le linge du bébé?
10. Pourquoi Jacquinot va-t-il être obligé de se lever
toujours le premier?   11. Qu'est-ce qu'il va faire si le
bébé pleure, la nuit?   12. Comment savez-vous que
Jacquinot écrit avec difficulté?   13. Lorsque sa liste est
terminée, qu'est-ce qu'il dit?   14. Comment expliquez-
vous qu'il est impossible à la femme d'attraper Jacquinot?   15. De quelle sorte d'eau est rempli le cuvier?
16. Que pense Jacquinot de cette eau-là?   17. Qu'est-
ce que Jacquinot répond à sa femme lorsqu'elle lui demande de l'aider?   18. Et lorsqu'elle lui demande
d'aller chercher sa mère, que répond-il?   19. Enfin,
qu'est-ce que la formidable femme promet?

Glanures

Les nuages peuvent cacher une étoile, mais les nuages passent et l'étoile demeure.	Clouds may hide a star, but clouds will vanish and the star remains.

(FÉLIX FAURE, *1841–1899*)

Pour vivre heureux, vivons [cachés.	To live happily, live in seclusion.

(JEAN-PIERRE CLARIS DE FLORIAN, *1755–1794*)

Mais où sont les neiges [d'antan?	But where are the snows of yesteryear?

(FRANÇOIS VILLON, *1431–1489?*)

Enseigner c'est apprendre [deux fois.	To teach is to be re-educated.

(JOSEPH JOUBERT, *1754–1824*)

Que ne fait-on passer avec [un peu d'encens!	What won't a little flattery accomplish!

(CYRANO DE BERGERAC, *1619–1655*)

17. Une aventure de Gil Blas[*]

Gil Blas, at seventeen, was an eager young Spaniard. Through the mastery of philosophy, key to the mysteries of man's nature, he hoped to attain both wisdom and material success. The young scholar had not anticipated, however, that on his way to the university he was to learn, at his own expense, a useful lesson in applied psychology.

Gil Blas est un jeune Espagnol d'Oviedo versé dans la philosophie. On le rencontre un jour se rendant à Salamanque où il veut

Espagnol, Spaniard
Oviedo, Oviedo (*a town in northern Spain*)

rendant: se —, on his way
Salamanque, Salamanca (*a town northwest of Madrid*)

---

[*] Adapted from an episode of *Gil Blas de Santillane*, a novel by Alain-René Le Sage (*1668–1747*).

continuer ses études. En route, il s'arrête à Peñaflor et *5*
entre dans un hôtel d'apparence respectable.

Il demande à souper. C'est un vendredi; donc, jour
maigre: on lui prépare une omelette.   Il s'assied tout
seul à une table et se prépare à manger.

Mais il n'a même pas le temps de commencer que se *10*
présente à lui un cavalier d'une trentaine d'années, que
l'hôtelier a préalablement instruit. Ce cavalier s'approche vivement de Gil Blas et lui dit avec emphase:

— Est-ce possible! vous, le seigneur Gil Blas de Santillane, l'ornement d'Oviedo, le flambeau de la philo- *15*
sophie! Est-ce possible! Vous ici, vous, devant moi;
vous dont la réputation est si grande dans tout le
pays.

Puis il dit à l'hôtelier:

— Vous avez un trésor dans votre maison; vous voyez *20*
dans ce jeune gentilhomme la huitième merveille du
monde.

Et, se tournant vers Gil Blas, le cavalier l'embrasse
avec enthousiasme en s'exclamant:

— Excusez-moi, seigneur Gil Blas, mais je ne peux *25*
contrôler la joie que votre présence m'inspire.

Il était impossible à Gil Blas de dire un mot, car
l'autre l'étouffait en le pressant avec vigueur entre ses
bras robustes. Cependant, après de grands efforts, Gil

études, studies
Peñaflor, Peñaflor (*a village near Oviedo*)
vendredi, Friday
maigre, meatless
assied: s'—, sits down
cavalier, squire
trentaine: d'une — d'années, in his thirties
préalablement, previously

vivement, briskly
emphase: avec —, grandiloquently
flambeau, shining light
huitième: — merveille du monde, eighth wonder of the world
embrasse: l'—, throws his arms about him
étouffait: l'—, was smothering him
Cependant, However

30 Blas réussit à se dégager la tête et à reprendre son
souffle et l'usage de la parole.

— Seigneur cavalier, dit-il enfin, très étonné, je ne
croyais pas mon nom connu à Peñaflor.

— Comment! . . . connu, le seigneur Gil Blas? Mais,
35 nous tenons registre de tous les grands personnages de
notre province.   Vous êtes estimé un prodige. Jadis, la
Grèce avait ses prodiges: l'Espagne a maintenant les
siens.

Or, Gil Blas, malgré ses prétentions à la philosophie,
40 était encore jeune et inexpérimenté: il ne connaissait
ni les vices ni les ruses des hommes.   Ces éloges ne lui
paraissaient pas du tout exagérés, et son cavalier lui
plaisait. Il s'empresse de l'inviter à souper.

— Avec grand plaisir, répond le cavalier; je dois
45 remercier ma bonne étoile de m'avoir fait rencontrer
l'illustre Gil Blas de Santillane. Seulement, comme je
n'ai pas faim, ni grand appétit, je vais simplement
m'asseoir à table pour vous tenir compagnie et rester
avec vous le plus longtemps possible.

50 Mais, à peine assis, le panégyriste se jette sur l'omelette de Gil Blas avec l'avidité d'un homme qui n'a pas
mangé depuis trois jours. Sa voracité est telle que Gil
Blas se voit dans la nécessité de commander tout de

réussit: — à se dégager la tête,
  succeeds in freeing his head
souffle: reprendre son —, breathe
  again
parole, speech
croyais: je ne — pas . . . Peñaflor, I did not believe my name
  to be known in Peñaflor
estimé, considered
éloges, praises
plaisait: son cavalier lui —, he
  had taken a liking to this squire

empresse: s'—, hastens
remercier, thank
bonne: — étoile, lucky star
fait: de m'avoir —, to have made
  it possible for me
asseoir: m'—, to sit down
peine: à — assis, the moment he
  was seated
telle, so great
commander, order

suite une deuxième omelette, qui ne tarde pas à prendre
le chemin de la première.   55

Cependant, tout en mangeant sans interruption,
l'invité de notre philosophe trouve moyen de farcir sa
conversation de louanges invraisemblables à l'adresse
de Gil Blas, la «huitième merveille du monde.» Le
cavalier buvait aussi, tantôt en l'honneur de Gil Blas 60
lui-même, tantôt en l'honneur de son père et de sa mère.
En même temps, il continuait de remplir le verre de
Gil Blas et l'invitait à boire avec lui.

Ces louanges — et le vin aidant — mettent Gil Blas
de si belle humeur qu'il veut à tout prix traiter encore 65
plus libéralement son invité: il demande à l'hôtelier s'il
a du poisson à leur servir. L'hôtelier, qui, comme on le
sait déjà, était de connivence avec le flatteur, lui répond:

— J'ai une truite excellente, mais elle est chère et
trop bonne pour vous.   70

— Qu'appelez-vous trop bonne? dit d'un ton arrogant
le professionnel de la flatterie; apprenez qu'il n'y a rien
de trop bon pour le seigneur Gil Blas de Santillane, qui
mérite d'être reçu comme un prince.

Mais Gil Blas lui-même intervient, catégorique, 75
absolu:

— Apportez-nous votre truite.   Ne vous préoccupez
pas du reste.

---

suite: tout de —, immediately
tarde: qui ne — pas à prendre le
  chemin de la première, which
  follows directly the first
invité, guest
farcir, stuff
louanges, praises
adresse: à l'— de, directed to
buvait, kept on drinking
tantôt ... tantôt, now ... now

verre, glass
aidant: le vin —, with the wine's
  help
humeur: de si belle —, in such
  high spirits
prix: à tout —, at all cost
traiter, treat
truite, trout
mérite, deserves

L'hôtelier, qui ne demande pas mieux, ne tarde pas à
80 leur servir la fameuse truite «chère et trop bonne.» La
joie éclate dans les yeux du flatteur à la vue de cette belle
truite. Il s'élance tout de suite sur elle, comme précédemment sur les omelettes, et la dévore toute en l'honneur
de Gil Blas.

85 Mais l'estomac du cavalier, en dépit des apparences,
avait des limites; le parasite arrête enfin de manger.

Seulement, avec le repas, finit aussi la comédie; maintenant le flatteur dit à Gil Blas:

— Gil Blas, mon cher ami, je suis si satisfait du bon
90 repas que vous m'avez fait servir que je ne peux pas
vous quitter sans vous donner un conseil en guise de
remerciement: croyez-moi, soyez en garde contre la
flatterie et contre les gens que vous ne connaissez pas.
N'en soyez point la dupe, et, surtout, ne vous croyez
95 point la huitième merveille du monde.

Ce conseil en valait bien un autre, et il n'y avait plus,
pour Gil Blas, qu'à payer l'addition, prix assez élevé
pour une première leçon pratique de philosophie.

tarde: ne — pas, does not hesi-
tate
**éclate: La joie — dans les yeux du
flatteur,** The flatterer's eyes
brighten with joy
précédemment, previously
dépit: en — des apparences, in
spite of all appearances
servir: que vous m'avez fait —
to which you have treated me

guise: en — de remerciement, as
a token of my gratitude
garde: soyez en — contre, beware
of
valait: en — bien un autre, was
as good as any
plus: il n'y avait —, ... l'addition,
there was nothing left for Gil Blas
to do but to pay the check
prix, price

Assimilation Exercises

I. *Fill the blanks with the appropriate words:*

1. Gil Blas se rend à Salamanque pour y continuer ses

____. 2. Un cavalier d'une ____ d'années se présente.
3. Il embrasse Gil Blas avec ____. 4. Il était impossible à Gil Blas de dire un ____, car l'autre l'____
entre ses ____ robustes. 5. Mais Gil Blas ne croyait
pas son nom ____ à Peñaflor. 6. Cependant, ces
éloges ne lui ____ pas du tout exagérés. 7. Le cavalier
lui dit qu'il va s'asseoir à table seulement pour ____
compagnie à Gil Blas et ____ avec lui le plus longtemps
possible. 8. Mais le panégyriste ____ ____ sur l'omelette avec avidité. 9. Le cavalier ____ aussi, tantôt
en l'honneur de Gil Blas, tantôt en l'honneur de son ____
et de sa ____. 10. Le flatteur donne ensuite un conseil
à Gil Blas ____ ____ de remerciement. 11. Il n'y
avait plus, pour Gil Blas, qu'à ____ l' ____. 12. Le
____ était assez élevé pour une première ____ ____ de
philosophie.

II. *Answer orally or in writing:*

1. Dans quelle étude Gil Blas est-il versé? 2. Pourquoi se rend-il à Salamanque? 3. Pourquoi est-ce
qu'on prépare une omelette à Gil Blas plutôt que de la
viande? 4. Qui se présente à lui lorsqu'il est à table?
5. Qu'est-ce que le cavalier dit à l'hôtelier? 6. Pourquoi Gil Blas ne pouvait-il pas répondre? 7. Qu'est-ce
que Gil Blas ne connaissait pas encore? 8. Pourquoi
est-ce que ce cavalier lui plaisait? 9. Comment savez-vous qu'il avait très faim? 10. Quel chemin prend
aussitôt la seconde omelette? 11. En l'honneur de qui
le cavalier buvait-il? 12. D'après le flatteur, comment
Gil Blas mérite-t-il d'être traité? 13. Quel ordre Gil
Blas donne-t-il à l'hôtelier à propos de la truite?
14. Pourquoi le flatteur s'arrête-t-il enfin? 15. Quel
conseil donne-t-il à Gil Blas?

Glanures

Le Corbeau et le Renard

Maître Corbeau, sur un arbre
　　　[perché,
Tenait en son bec un fromage.
Maître Renard, par l'odeur
　　　[alléché,
Lui tint à peu près ce lan-
　　　[gage:
«Hé! bonjour, Monsieur du
　　　[Corbeau.
Que vous êtes joli! Que vous
　　　[me semblez beau!
Sans mentir, si votre ramage
Se rapporte à votre plumage,
Vous êtes le phénix des
　　　[hôtes de ces bois.»
A ces mots, le Corbeau ne se
　　　[sent pas de joie;
Et pour montrer sa belle
　　　[voix,
Il ouvre un large bec, laisse
　　　[tomber sa proie.
Le Renard s'en saisit, et dit:
　　　[«Mon bon Monsieur,
Apprenez que tout flatteur
Vit aux dépens de celui qui
　　　[l'écoute:
Cette leçon vaut bien un
　　　[fromage, sans doute.»
Le Corbeau, honteux et con-
　　　[fus,
Jura, mais un peu tard, qu'on
　　　[ne l'y prendrait plus.

The Crow and the Fox

Master Crow, perched high on
a tree,
Held in his beak a fine cheese.
Master Fox sniffed it, came out
to see,
And spoke in words such as
these:
"Hi, there, Master Crow,
How pretty you look! You're
handsome, you know!
If the beauty of voice when you
sing
Is a match for that ebony wing,
You must be the phoenix of all
of the birds."
The Crow lost his head at these
flattering words;
And to show how sweet he
could sound
He opened his beak, dropped
the cheese on the ground.
The Fox snatched it up and re-
marked: "My dear Sir,
Learn that every flatterer
Lives at the expense of those
who boast.
This lesson may be worth the
cheese you lost."
The crestfallen Crow now fret-
ted in vain
And swore he would never be
taken in again.

(JEAN DE LA FONTAINE, *1621–1695*)

18. *Le Louis d'or* *

Enslaved by a bent in his own nature, a man feels sometimes powerless before an inevitable sequence of events. He sees himself irresistibly driven toward a gaping chasm until a providential hand comes to prevent his fall and leads him back again to brighter horizons.

Such is the essence of the Christmas tale THE GOLD COIN.

C'est fini ... C'est la ruine!

Au cours de cette soirée fatale, sur cette table à roulette, Lucien de Hem vient

| Louis d'or, (*an old French gold coin*) | Conte de Noël, Christmas tale |
| soirée, evening |

---

* Adapted from *Le Louis d'or* (*Conte de Noël*), a short story by François Coppée (*1842–1908*).

5 de perdre jusqu'aux derniers débris de sa petite fortune.

La tête troublée, il se jette sur un sofa, et regarde vaguement cette salle clandestine où il a dissipé les plus belles années de sa jeunesse et tout son patrimoine.

Il voit encore de l'or sur le tapis vert, mais cet or
10 n'est plus à lui. Il n'a plus rien, excepté les pistolets de son père, ancien général. Va-t-il se suicider?

Brisé de fatigue, il s'endort profondément.

Les minutes passent, et Lucien de Hem se lève soudain. C'est le 24 décembre, veille de Noël; par un
15 jeu ironique de la mémoire, il se revoit tout petit enfant mettant, avant de se retirer pour la nuit, ses souliers dans la cheminée.

En ce moment, le vieux Dronski, un des nombreux parasites de la salle de jeu, s'approche de Lucien et lui
20 dit:

— Passez-moi une pièce de cinq francs, monsieur. Voilà deux jours que le «dix-sept» n'est pas sorti. C'est à minuit précis qu'il va sortir, j'en ai le pressentiment.

25 Seulement, Lucien de Hem n'a pas même un franc.

Il quitte brusquement le vieux Dronski et se précipite dans la rue.

C'est une rue du centre de Paris, maintenant toute

perdre: vient de —, has just lost
débris: jusqu'aux derniers —, the very last remnants
troublée: La tête —, With his head swimming
salle, hall
jeunesse, youth
tapis, cloth
Brisé: — de fatigue, Dead tired
endort: s'— profondément, falls into a deep sleep

veille: — de Noël, Christmas eve
jeu: — ironique, ironical twist
revoit: se —, sees himself again
souliers, shoes
nombreux, numerous
salle: — de jeu, gambling hall
Passez-moi, Slip me
minuit: à — précis, at the stroke of midnight
précipite: se —, dashes

blanche de neige. Dans le ciel pur, d'un bleu noir, de
froides étoiles scintillent. *sparkle*   30

Lucien de Hem commence à marcher, conservant
toujours dans son esprit des idées de découragement
et de suicide. Il marche, songeant plus que jamais aux
pistolets qu'il y a dans sa commode; mais il s'arrête
soudain devant un spectacle touchant.   35

Sur un banc de pierre placé *Stone bench* près de la porte monu-
mentale d'une maison de riches, une petite fille de six
ou sept ans est assise dans la neige. Sa robe est insuffi-
sante pour la protéger contre les rigueurs de la saison.
Elle dort, malgré le froid cruel. Sa pauvre petite tête 40
et son épaule *Espalda* reposent dans un angle de la muraille.
Ses pieds sont glacés comme la pierre. Même, un de ses
souliers est tombé par terre devant elle.

Poussé par un instinctif sentiment de pitié, Lucien
de Hem, d'un geste machinal, met la main dans sa 45
poche et s'approche de la petite comme pour lui offrir
un franc. Malheureusement, il n'a plus rien. Mais, à
ce moment, il aperçoit dans le soulier tombé dans la
neige quelque chose qui brille. Est-ce de l'or? Oui, c'est
de l'or! un beau louis d'or.   50

Une personne charitable, sans doute, avait passé
par là, en cette nuit de Noël, et avait déposé une pièce
d'or dans ce soulier d'enfant. Main discrète, cadeau
magnifique.

---

conservant: — toujours, still re-
   taining
esprit, mind
songeant: — ... aux, thinking
   ... of
spectacle, sight
pierre: banc de —, stone bench
assise, seated
épaule, shoulder

muraille, wall
glacés, icy
terre: par —, to the ground
poche, pocket
Malheureusement, Unfortunately
aperçoit, notices
brille: qui —, shiny
cadeau, gift

55   Un louis!...

Un louis, cela représentait une richesse pour la petite abandonnée ... Lucien va la réveiller pour le lui mettre dans la main quand il croit entendre la voix du vieux Dronski qui lui répète à l'oreille: «Voilà deux jours
60 que le 'dix-sept' n'est pas sorti. C'est à minuit précis qu'il va sortir ... à minuit précis!... le 'dix-sept,' à minuit!... à minuit ...»

Alors, ce jeune homme de vingt-trois ans, qui descend d'une race d'honnêtes gens, qui porte un nom militaire
65 illustre, est transformé totalement par une pensée monstrueuse qui le convertit en voleur. Il regarde furtivement la rue déserte, se penche, avance la main, et vole le louis d'or. Puis, s'élançant, rapide, vers la maison de jeu, il y entre au moment précis où la pendule
70 sonne minuit. Il jette la pièce d'or sur le tapis vert et s'écrie:

— En plein sur le «dix-sept»!

Le «dix-sept» gagne.

Lucien pousse les trente-six louis sur la rouge.
75   La rouge gagne à son tour.

Il laisse les soixante-douze louis sur la même couleur. La rouge sort de nouveau.

Il continue, il double, il triple, toujours avec le même succès. Chance fantastique! Toutes les com-
80 binaisons lui sont bonnes. La petite bille, magnétisée, fascinée par le regard de ce joueur, accumule pour lui

pensée, thought	**plein: En — sur,** Right on
voleur, thief	**gagne,** wins
penche: se —, bends down	**nouveau: de —,** again
avance, stretches out	**bonnes,** lucky
vole, steals	**bille,** ball
pendule, clock	**joueur,** gambler
sonne, strikes	

les louis et les billets de mille francs. Ses gains dépassent même le capital héréditaire qu'il avait dissipé en ces dernières années. Il reconstitue sa fortune. Il joue toujours, il gagne toujours.   85

Seulement, l'image de la petite fille endormie dans la neige ne le quitte plus. Il ne pense qu'à elle, l'enfant à qui il a volé un louis d'or.

— Elle est encore à la même place, sans doute! se dit-il. Bientôt, à une heure j'abandonne le jeu, je sors, 90 je cours à elle, je la prends dans mes bras, et je l'emporte chez moi. Je vais l'élever et l'aimer comme ma fille, et en prendre soin toujours, toujours!

Mais la table infernale le retient, et le garde tout à elle jusqu'à deux heures. C'est le croupier qui arrête 95 le jeu en disant:

— La banque a sauté, messieurs . . . Assez pour aujourd'hui!

D'un bond, Lucien est debout. Il descend dans la rue et court vers le banc de pierre où repose la petite fille 100 endormie. Il la voit de loin.

— Dieu soit loué! s'écrie-t-il. Elle est encore là.

Il s'approche d'elle, lui saisit la main.

— Oh! qu'elle est froide! Pauvre petite!

Il la prend dans ses bras, la soulève pour l'emporter; 105 mais la tête de l'enfant retombe en arrière.

— Comme on dort à cet âge! se dit-il.

billets, bills
gains, winnings
dépassent, exceed
endormie, asleep
élever, raise
soin: en prendre —, take good care of her
retient: le —, holds him back

sauté: la banque a —, the bank is broken
bond: D'un —, Lucien est debout, Lucien jumps to his feet
Dieu soit loué!, Praised be the Lord!
soulève, lifts
retombe: — en arrière, falls back limply

Il recommence, la reprend, l'appelle et lui parle, mais bien en vain. La petite ne dormait pas; elle était morte.

110   Pendant que Lucien gagnait une fortune avec le louis d'or qu'il lui avait volé, l'enfant sans refuge était morte de froid.

Lucien, à cette lugubre pensée, essaie de pousser un cri . . . et, dans son effort, se réveille sur le sofa du
115 cercle, où il dormait depuis un peu avant minuit. Il était cinq heures du matin.

Aujourd'hui, Lucien de Hem fait partie du 1er régiment de la légion d'Afrique. Il est très économe, et ne touche jamais une carte. Il fait même des économies
120 sur son maigre salaire, et distribue des aumônes. Lucien donne aux pauvres. L'autre jour, il a même donné un louis d'or à une petite mendiante de la Casbah.

cri: pousser un —, shriek
réveille: se —, wakes up
cercle, club
partie: fait — de, belongs to

économies: Il fait même des —,
  He even saves money
aumônes, alms

Assimilation Exercises

I. *Fill the blanks with the appropriate words:*
1. Lucien de Hem ____ ____ perdre le reste de sa petite fortune.   2. ____ se suicider?   3. Quand il était enfant, la veille de ____, avant de ____ ____ pour la nuit, il mettait ses ____ dans la cheminée.   4. C'est à ____ précis que le «dix-sept» va ____.   5. Dans le ciel d'un bleu ____, les étoiles ____.   6. Une petite fille est ____ dans la neige.   7. Ses pieds sont ____ comme la ____.
8. Lucien aperçoit dans le soulier ____ ____ qui brille.
9. Il regarde furtivement la ____ déserte, se ____, et ____ le louis d'or.   10. Quand il joue de nouveau,

ses gains dépassent ____ le capital héréditaire.   11. La
petite fille ____ repose sur le banc de ____.   12. Lucien
la ____ pour l'emporter.   13. Il essaie de ____ un cri.
14. Maintenant il fait des ____.

II. *Answer orally or in writing:*

1. Qu'est-ce que Lucien de Hem vient de perdre?
2. Qu'est-ce qu'il voit encore sur ce tapis vert?   3. Depuis combien de jours le «dix-sept» n'est-il pas sorti?
4. A quelle heure le «dix-sept» va-t-il sortir?   5. Qui
est assis dans la neige, sur un banc de pierre?   6. Qu'est-
ce qui la protège mal contre le froid?   7. Qu'est-ce
qui est tombé par terre devant elle?   8. Qu'est-ce que
Lucien aperçoit dans le soulier?   9. Qui avait déposé
ce louis d'or dans ce soulier d'enfant?   10. A quel
moment Lucien se précipite-t-il dans la maison de jeu?
11. Qu'est-ce que Lucien avait dépensé en ces dernières
années?   12. Qui arrête le jeu?   13. Pourquoi la petite
était-elle morte?   14. Qu'est-ce que Lucien a donné,
l'autre jour, à une petite mendiante de la Casbah?

Glanures

La Chanson de ma Mie	A Song for my Darling
L'eau dans les grands lacs [bleus	In the lakes the water lies
Endormie,	Ever sleeping
Est le miroir des cieux:	Like a mirror of the skies;
Mais j'aime mieux les yeux	Yet I love to watch the eyes
De ma mie.	Of my darling.
Pour que l'ombre parfois	In the woods you hear rejoice
Nous sourie,	A young starling;
Un oiseau chante au bois,	But if I am left the choice
Mais j'aime mieux la voix	I prefer to hear the voice
De ma mie.	Of my darling.

La rosée, à la fleur
  Défleurie
Rend sa vive couleur;
Mais j'aime mieux un pleur
  De ma mie.

. . . . .

On change tour à tour
  De folie:
Moi, jusqu'au dernier jour,
Je m'en tiens à l'amour
  De ma mie.

While the dew-drops do appear
  To be sparkling
On the flowers I hold dear,
Yet I'm moved more by a tear
  From my darling.

. . . . .

Whims may come and soon go
  past;
  Notwithstanding,
I can promise to stay fast
To the very, very last
  To my darling.

(THÉODORE DE BANVILLE, *1823–1891*)

Vocabulary

This vocabulary lists all words and idiomatic expressions found in the reader, with the exception of those proper nouns and geographical names that have their exact equivalent in English. Irregular adjectives are listed both in the form in which they appear in the text and in their masculine singular form. Verb forms whose infinitives cannot be readily recognized (*e.g.*, **je dois, il buvait, sachez**) are also included, along with their infinitives.

ABBREVIATIONS

abbr.	abbreviation	*imperf.*	imperfect
adj.	adjective	*ind.*	indicative
adv.	adverb	*m.*	masculine
art.	article	*neg.*	negative
cond.	conditional	*part.*	participle
def.	definite	*pl.*	plural
esp.	especially	*poet.*	poetical
f.	feminine	*pres.*	present
fig.	figuratively	*pron.*	pronoun
fut.	future	*s.*	singular
imper.	imperative	*subj.*	subjunctive

VOCABULARY

a (**il, elle, on** —), has (he, she, it, one —), *pres. ind. of* avoir; **il y** —, there is, there are

à, at, to, in, on; — **cheval,** on horseback; — **côté de,** by, near; — **demi,** half, half way; — **la fois,** all at once, all in one; — **la maison,** home, at home; — **l'instant,** immediately; — **loisir,** leisurely; — **moi,** mine, my own; — **peu près,** approximately; — **propos** (**de**), concerning, speaking of; — **ses côtés,** beside him (her); — **tour de rôle,** by turns; — **travers,** through; **petit** — **petit,** little by little; **un** — **un,** one by one

abandonner, to abandon, give up

abbaye, *f.,* abbey

abondance, *f.,* abundance, plenty

abonder, to abound, be plentiful

abord: d'—, at first

absolu, absolute; peremptory

académicien, *m.,* academician

accentuer, to accentuate; to progress; to accent; to lay stress (upon)

accepter, to accept; to agree (to)

accessible, accessible, open

accompagner, to accompany

accomplir, to accomplish; to effect; to finish; to fulfil

accourir, to come running, run up; to hasten; to rush

accumuler, to accumulate, pile up

addition, *f.,* addition; check (*in a restaurant, etc.*)

administration, *f.,* administration; government

adresse: à l'— **de,** directed to

adresser, to address; **s'**— **à,** to address oneself to, speak to

advenir, to occur, happen, come

advienne, come, *pres. subj. of* advenir

affaire, *f.,* affair, business, concern

affamé, famished, hungry; starved

âge, *m.,* age; time; **d'**— **moyen, entre deux** —**s,** middle-aged

âgé, aged, old; **plus** —, older

agile, agile, nimble

agité, agitated; rough

agiter, to agitate, shake; **s'**—, to be agitated; to struggle; to splash about (*in water*)

agricole, agricultural

agriculture, *f.,* agriculture

ah!, ah!

ai (**j'**—), have (I —), *pres. ind. of* avoir

aide, *f.,* aid, help; **à l'**— **de,** with the help of

aider, to aid, help

ailleurs, somewhere else

aimer, to love; to like; to be fond of; — **mieux,** to prefer

ainsi, thus, so

air, *m.,* air; appearance; bearing

aise, *f.,* ease; **j'en suis fort** —, I am delighted to hear it

87

aisé, easy

aisément, easily

ajouter, to add

alléché, enticed, attracted

aller, to go; s'en —, to go away

allez (vous —), go, are going (you —), *pres. ind. of* aller; go, *imper. of* aller

Alliés, *m. pl.*, Allies

allons (nous —), go, are going, (we —), *pres. ind. of* aller; let us go, *imper. of* aller

alors, then; in that case; well then

Alpes, *f. pl.*, Alps

amabilité, *f.*, amiableness, kindness

amasser, to amass; to gather

âme, *f.*, soul

américain, American

Amérique, *f.*, America; — du Sud, South America

ami, *m.*, friend

amour, *m.*, love

amoureuse, *f. of* amoureux

amoureuse, *f.*, sweetheart

amoureux (*f.* amoureuse), loving; être — (de), to be in love (with)

amoureux, *m.*, lover

amuser, to amuse; s'—, to have a good time, enjoy oneself

an, *m.*, year; par —, a year, yearly

analogie, *f.*, analogy

ancien (*f.* ancienne), ancient, old

ancienne, *f. of* ancien

âne, *m.*, donkey

anglais, English

angle, *m.*, angle; corner

Angleterre, *f.*, England

anguille, *f.*, eel

animal (*pl.* animaux), *m.*, animal; beast

animation, *f.*, animation; life; liveliness

année, *f.*, year

annoncer, to announce; to give notice

antan, *m.*, yesteryear; the year before

antique, ancient; antique

apercevoir, to perceive; to see; to sight; s'— de, to notice, be aware of

aperçoit (il, elle, on —), sees, notices (he, she, it, one —), *pres. ind. of* apercevoir

aperçoivent (ils, elles —), see, notice (they —), *pres. ind. of* apercevoir

apparaître, to appear; to become visible

apparence, *f.*, appearance; look

appeler, to call

appétit, *m.*, appetite; craving

apporter, to bring

apprendre, to learn; to inform

approcher, to approach; s'— de, to approach, draw near to

après, after, afterwards, then; d'—, according to

arabe, Arab, Arabian; Moorish

arbre, *m.*, tree

architecture, *f.*, architecture

argent, *m.*, silver; money

aristocratie, *f.*, aristocracy

armée, *f.*, army

arracher, to pull out; to tear out; to tear off

arranger, to arrange; to settle

arrêter, to stop; s'—, to stop

arrivée, *f.*, arrival

arriver, to arrive; to happen

arrogant, arrogant, haughty

art, *m.*, art

artisan, *m.*, artisan; craftsman

as (tu —), have (you —), *pres. ind. of* avoir

asseoir, to seat; s'—, to sit, sit down

assez, enough; quite

assied: s'— (il, elle, on —), sits down (he, she, it, one —), *pres. ind. of* s'asseoir

assis, seated, *past part. of* asseoir

atmosphérique, atmospheric

attacher, to attach; to tie

attaquer, to attack; to pound; to fall upon

attendre, to wait (for), await

attention, *f.*, attention

attentivement, attentively, carefully

attraper, to catch; to trap

au (*pl.* **aux**), *contraction of* à le (à les), to the, at the, in the; — **contraire,** on the contrary; — **dehors,** outdoors; — **diable,** confound; — **loup!,** wolf!; — **milieu de,** in the middle of; — **moins,** at least; — **secours!,** help!

aucun, no, no one, none

aujourd'hui, today; nowadays

aumône, *f.*, alms

aussi, also; consequently; — ... **que,** as ... as

aussitôt, immediately, at once; — **que,** as soon as

auto, *f.*, *abbr. for* **automobile,** automobile, car

autobus, *m.*, omnibus, bus

autour, around; — **du cou,** around his (her, its, *etc.*) neck

autre, other; **de l'**— **côté,** on the other hand; **un** —, another

autrement, otherwise; — **dit,** in other words

aux, *contraction of* à les, at the, to the, in the

auxquels, *contraction of* à lesquels, to which

avait (**il, elle, on** —), had (he, she, it, one —), *imperf. ind. of* **avoir;** **il y** —, there was, there were

avant, before; — **de commencer,** before beginning; **en** — (**d'eux**), ahead (of them)

avec, with

avenir, *m.*, future; **à l'**—, in the future

avenue, *f.*, avenue

aversion, *f.*, aversion, dislike

aveugle, blind

aveugle, *m.*, blind man

avidité, *f.*, avidity; voracity; greed

avoir, to have; — **besoin de,** to need; — **lieu,** to take place; — **raison,** to be right

ayant, having, *pres. part. of* **avoir**

ayez, (**que vous** —), have (that you —), *pres. subj. of* **avoir;** have, *imper. of* **avoir;** — **la bonté,** be kind enough

bagatelle, *f.*, bagatelle, trifle

banc, *m.*, bench, seat

banque, *f.*, bank; **billets de** —, bank notes; **la** — **a sauté,** the bank is broken

bataille, *f.*, battle

bâton, *m.*, stick, cane; cudgel

beau, bel (*f.* **belle**), beautiful, handsome, fine; **un beau jour,** one day

beaucoup, much, many; greatly

beauté, *f.*, beauty, comeliness

bébé, *m.*, baby

bec, *m.*, beak, bill

bel, *see* **beau**

belle, *f. of* **beau**

belle, *f.*, belle, fair (young) lady

belle-mère, *f.*, mother-in-law

besoin, *m.*, need; **avoir** — **de,** to need

bête, *f.*, beast; *pl.* cattle

beurre, *m.*, butter

bicyclette, *f.*, bicycle

bien, well; rightly; much; very; indeed; — **des,** many, a great deal of; **pour votre** —, for your own good

bien, *m. s. or pl.*, wealth, property

bien-aimé, beloved

bientôt, soon

bijou, *m.*, jewel

bille, *f.*, ball; marble

billet, *m.*, bill; note, short letter; — **de banque,** bank note

bise, *f.*, north wind; *fig.* winter

blanc (*f.* **blanche**), white

blanche, *f. of* **blanc**

bleu, blue

blond, blond, fair-haired
boire, to drink
bois, *m.,* wood; woods, forest
bon (*f.* **bonne**), good
bondir, to leap, bound; to spring up; to bounce
bonheur, *m.,* happiness
bonjour, good day; good morning; good-by
bonne, *f. of* **bon**
bonsoir, good evening; good night
bord, *m.,* border, edge
border, to border; to edge; to line
bouche, *f.,* mouth
bouger, to budge, stir, move
boulevard, *m.,* boulevard
bouleverser, to upset
bourgeois, middle-class; common, vulgar
bourgeois, *m.,* bourgeois, middle-class man; commoner; citizen
bourse, *f.,* purse
bout, *m.,* end, extremity; tip; **d'un — à l'autre,** from top to bottom; from end to end
bras, *m.,* arm
brave, good, fine; brave; **—s gens,** good people
bref (*f.* **brève**), brief, short
Bretagne, *f.,* Brittany
brève, *f. of* **bref**
briller, to sparkle; to shine
brisé, broken; smashed; **— de fatigue,** dead tired
brrr!, (*utterance of dismay*)
brûler, to burn
brun, brown
brusquement, abruptly; bluntly; suddenly
buisson, *m.,* bush, thicket
but, *m.,* goal, aim; motive
buvait (**il, elle, on —**), drank, was drinking (he, she, it, one —), *imperf. ind. of* **boire**

c', *for* **ce**
ça, *for* **cela**

cacher, to hide, conceal
cadeau, *m.,* gift, present
café, *m.,* café; coffee
calme, calm, quiet
calmer, to calm, quiet; to soothe; **se —,** to become calm, calm down
canal (*pl.* **canaux**), *m.,* canal; channel
canaux, *pl. of* **canal**
canne, *f.,* cane, walking stick
capital, *m.,* capital, assets; principal
capitale, *f.,* capital
caprice, *m.,* caprice, whim
car, for, because
caractériser, to characterize
carte, *f.,* card; map
catégorique, categorical
cathédrale, *f.,* cathedral
cause, *f.,* cause; **à — de,** on account of
causer, to cause; to chat
cavalier, *m.,* cavalier; squire; horseman; trooper
ce, *pron.* (*see* **cela** *and* **ça**), this, that; he, she, it, they; **— qui, — que,** that which, what
ce, cet (*f.* **cette,** *pl.* **ces**), *adj.,* this, that (these, those)
cela, that; it
célèbre, celebrated, famous, well-known
celle, *f. of* **celui;** the one; **—-ci,** this one; the latter; **—-là,** that one; the former; **— qui,** the one who, she who; **— que,** the one whom, she whom
celui, the one; **—-ci,** this one; the latter; **—-là,** that one; the former; **— qui,** the one who, he who; **— que,** the one whom, he whom
cent, one hundred; **pour —,** per cent
centaine, *f.,* about a hundred; **des —s,** hundreds
centre, *m.,* center; middle
cependant, yet; however, nevertheless; meanwhile
cercle, *m.,* circle; club

certain, certain
certes, certainly, assuredly, indeed
ces, *pl. of* **ce, cet, cette**
César, *m.,* Caesar; **Jules —,** Julius Caesar
cesse, *f.,* cease, ceasing; **sans —,** unceasingly
cesser, to cease, stop
cet, *see* **ce**
cette, *f. of* **ce** *and* **cet**
ceux, *pl. of* **celui; pour —,** for those; **— qui,** those who; **— que,** those whom
chacun, each; **— d'eux,** each of them; **— de nous,** each of us
chagrin, *m.,* grief, sorrow
chaîne, *f.,* chain; (mountain) range
chambre, *f.,* room; bedroom
chance, *f.,* chance; luck; opportunity
changer, to change; to shift
chanson, *f.,* song; ballad
chanter, to sing
chapeau, *m.,* hat
chapitre, *m.,* chapter
charger, to charge; to load
charitable, charitable
charité, *f.,* charity; alms; benevolence, kindness
charmant, charming, delightful
charme, *m.,* charm
charrette, *f.,* cart, wagon
chasse, *f.,* hunt(ing); game shooting; **à la —,** hunting
chasser, to chase, drive away; to hunt; to expel
chasseur, *m.,* hunter
chat, *m.,* cat
château (*pl.* **châteaux**), *m.,* castle, château
chaud, warm; hot
chauffer, to heat, warm
chauve, bald
chemin, *m.,* way, road
cheminée, *f.,* chimney; fireplace
cheminer, to trudge; to proceed; to walk along

chemise, *f.,* shirt
cher (*f.* **chère**), dear; beloved; expensive
chercher, to seek, look for
chère, *f. of* **cher**
chéri, dear, beloved; darling
cheval (*pl.* **chevaux**), *m.,* horse; **à —,** on horseback
chevalier, *m.,* cavalier; knight; horseman
cheveu (*pl.* **cheveux**), *m.,* hair
chez, at (the home of); to (the home of); among; **— moi,** at, to my home
chien, *m.,* dog
choisir, to choose, pick
chose, *f.,* thing; **quelque — (de),** something
ci, here (*see* **celui, celle**); **— -gît,** here lies
ciel (*pl.* **cieux**), *m.,* sky; heaven
cieux, *pl. of* **ciel**
cigale, *f.,* grasshopper; cicada
cinq, five
cinquante, fifty
cité, *f.,* city, town
civilisation, *f.,* civilization
clair, clear, bright, transparent
clairement, clearly
clandestin, clandestine; illicit
classe, *f.,* class
climat, *m.,* climate
clos, closed
cœur, *m.,* heart
coin, *m.,* corner; bit, fraction
collier, *m.,* necklace; (dog) collar
combien, how much; how many
combinaison, *f.,* combination
comédie, *f.,* comedy; play
comédien, *m.,* actor; comedian
commander, to command; to order
comme, as, like; **— . . . !,** how . . . !; **tout —,** just as
commémorer, to commemorate
commencer, to begin; **— par,** to begin by (doing), (to do) first

comment, how; —!, what!

commerce, *m.*, commerce, trade

commettre, to commit

commode, *f.*, commode, chest of drawers

compagnie, *f.*, company; party; retinue

comparer, to compare

complètement, completely; utterly

composer, to compose; to make up

comprendre, to understand, comprehend; to comprise

compter, to count; to depend; to expect; to plan, intend

concerner, to concern, regard

conçoit (il, elle, on —), conceives (he, she, it, one —), *pres. ind. of* concevoir

condition, *f.*, condition; —s, terms

conduite, *f.*, conduct, behavior

confortable, comfortable

confus, confused; abashed; ashamed

confusion, *f.*, confusion; jumble

connaissait (il, elle, on —), knew (he, she, it, one —), *imperf. ind. of* connaître

connaissez (vous —), know (you —), *pres. ind. of* connaître

connaît (il, elle, on —), knows (he, she, it, one —), *pres. ind. of* connaître

connaître, to know, be acquainted with; to grasp

connivence, *f.*, connivance, complicity

connu, known, *past part. of* connaître

conscience, *f.*, conscience

conseil, *m.*, counsel, advice

consens (je, tu —), consent (I, you —), *pres. ind. of* consentir

consentir, to consent, agree

conséquence, *f.*, consequence

conserver, to preserve; to keep; to retain

considérable, considerable; notable, important; great

considérer, to consider; to appraise

consoler, to console, solace, comfort; se —, to find comfort; to get over

constamment, constantly, unceasingly

construit, constructed, built, *past part. of* construire

consulter, to consult

contact, *m.*, contact; touch; connection

conte, *m.*, story, tale; — de Noël, Christmas tale

contenir, to contain; to restrain; to repress (*feelings*)

content, content, satisfied; pleased

contenter, to content, satisfy; to please

continent, *m.*, continent

continuel (*f.* continuelle), continual, unceasing

continuelle, *f. of* continuel

continuer, to continue; to go on; to keep on

contrarier, to oppose; to vex; to disappoint; to cross

contre, against

contribuer, to contribute

contrôler, to control; to restrict; to suppress; to hold back

conversation, *f.*, conversation

convertir, to convert, change over

corbeau, *m.*, crow; raven

corde, *f.*, rope, cord; twine; string

corpulent, corpulent, stout

Corse, *f.*, Corsica

côte, *f.*, coast, shore

côté, *m.*, side; direction; aspect; de l'autre —, on the other hand; à — de, by, near; à ses —s, beside him (her)

cou, *m.*, neck

coucher, to put to bed; se —, to lie down; to go to bed

couleur, *f.*, color

coup, *m.*, blow, stroke; tout à —, suddenly

couper, to cut

cour, *f.*, court; courtyard; — **de justice,** court (of law)

courage, *m.*, courage; spirit; fortitude; —!, cheer up!

courant, current; **langage —,** everyday speech

courir, to run; to race

cours, *m.*, course

court (**il, elle, on —**), runs (he, she, it, one —), *pres. ind. of* **courir**

couteau, *m.*, knife

coûter, to cost; to be expensive; to be painful

coutume, *f.*, custom, usage

couvent, *m.*, convent; nunnery; monastery

couvert, covered, *past part. of* **couvrir**

couverture, *f.*, blanket; cover; — **à cheval,** horse blanket

couvrir, to cover

cri, *m.*, cry; outcry; scream; clamor; **pousser un —,** to shriek, cry out

crier, to shout, cry out; to scream; to yell; to whine

crime, *m.*, crime; **que de —s!,** what crimes!

critique, *f.*, criticism

croire, to believe

croix, *f.*, cross

croupier, *m.*, croupier (*in a gambling house*)

croyais (**je, tu —**), believed (I, you —), *imperf. ind. of* **croire**

croyait (**il, elle, on —**), believed (he, she, it, one —), *imperf. ind. of* **croire**

croyez (**vous —**), believe (you —), *pres. ind. of* **croire;** believe, *imper. of* **croire**

cruel (*f.* **cruelle**), cruel, merciless

cruelle, *f. of* **cruel**

cuisine, *f.*, kitchen; cooking; **faire la —,** to do the cooking

cuisinier (*f.* **cuisinière**), *m.*, cook

culture, *f.*, culture; education; breeding; cultivation

culturel (*f.* **culturelle**), cultural

culturelle, *f. of* **culturel**

curieuse, *f. of* **curieux**

curieux (*f.* **curieuse**), curious, inquisitive

cuvier, *m.*, vat, washtub

d', *for* **de**

danger, *m.*, danger

dangereuse, *f., of* **dangereux**

dangereux (*f.* **dangereuse**), dangerous

dans, in, into, within

danser, to dance

dater, to date (back)

davantage, more, still more, further; longer

de, of, from, by, in, with, to; some, any; — **plus,** moreover; — **près,** closely; **couvert — neige,** covered with snow; **merci —,** thanks for; **que — crimes!,** what crimes!, **traiter —,** to call (*names*)

debout (standing) up, on one's feet

débris, *m.*, debris, remains

début, *m.*, debut, first appearance; beginning, outset

décembre, *m.*, December

décider, to decide; **se —,** to make up one's mind, come to a decision

déclarer, to declare; to make known

découragement, *m.*, discouragement

dédain, *m.*, disdain, scorn

défaut, *m.*, defect, flaw, shortcoming, fault

défleurir, to lose its blossoms; to fade; to wither

défunt, defunct, deceased; **son — mari,** her late husband

dégager, to disengage, to extricate; **se — la tête,** to free one's head

dehors, *m.*, outside, exterior; **au —,** outdoors

déjà, already

déjeuner, *m.*, lunch, luncheon; **petit —,** breakfast

délectable, delectable, delightful

demander, to ask, ask for; to demand

demeurer, to live, dwell; to stay; to remain

demi, half; **à —,** half, half way

demoiselle, *f.*, damsel, young lady; spinster

départ, *m.*, departure; sailing (*of ships*)

département, *m.*, department

dépasser, to surpass, go beyond; to exceed

dépêcher, to dispatch; **se —,** to hurry, hasten; **dépêche-toi!, dépêchez-vous!,** hurry up!

dépens, *m. pl.*, cost; expenses; **à leurs —,** at their expense

dépenser, to spend

dépit, *m.*, spite; **en — de,** in spite of

déplaire, to displease

déplaise, *pres. subj. of* **déplaire**; **ne vous —,** if you don't mind

déposer, to deposit; to put down

dépourvu, deprived, destitute, devoid

depuis, since; **— trois jours,** for the last three days

dériver, to derive

dernier (*f.* **dernière**), last

dernière, *f. of* **dernier**

derrière, behind

des, *contraction of* **de les,** of the, from the; some

descendre, to descend, go down, come down; to dismount; to alight; to get off

désert, deserted, empty

désirer, to desire, want, wish

désolé, disconsolate, sorry

désoler, to desolate, devastate; to afflict, grieve; **se —,** to grieve

désormais, henceforth, hereafter; from now on, from then on

destitué, destitute; deprived, lacking

deux, two; **tous (les) —,** both

deuxième, second

devant, before, in front of

devant, *m.*, front

devenir, to become

devient (**il, elle, on —**), becomes (he, she, it, one —), *pres. ind. of* **devenir**

devoir, to owe, be obliged, have to, must; to be expected to

devoir, *m.*, duty, obligation; task, work, chore

dévorer, to devour; to eat up

diable, *m.*, devil; deuce; **au —,** confound

dictée, *f.*, dictation

Dieu, *m.*, God; **— soit loué!,** praised be the Lord!; **mon —!,** good heavens!

différence, *f.*, difference

difficilement, with difficulty

difficulté, *f.*, difficulty; hardship; handicap

dire, to say, tell; **vouloir —,** to mean

direction, *f.*, direction

dis (**je, tu —**), say, tell (I, you —), *pres. ind. of* **dire**; say, tell, *imper. of* **dire**

disant, saying, telling, *pres. part. of* **dire**

discret (*f.* **discrète**), discreet; unobtrusive

discrète, *f. of* **discret**

discussion, *f.*, discussion, dispute

disent (**ils, elles —**), say, tell (they —), *pres. ind. of* **dire**

dissiper, to dissipate; to squander

distance, *f.*, distance

distribuer, to distribute; to give

dit (**il, elle, on —**), says, tells (he, she, it, one —), *pres. ind. of* **dire**; said, *past def. of* **dire**; said, *past part. of* **dire**; **autrement —,** in other words

dites (vous —), say, tell (you —), *pres. ind. of* **dire;** say, tell, *imper. of* **dire**

divers, various, different; *pl.*, several

diversité, *f.*, diversity, difference, variety

diviser, to divide

division, *f.*, division

dix, ten

dix-neuvième, nineteenth

dois (je, tu —), must (I, you —), *pres. ind. of* **devoir; que —-je faire?,** what am I to do?

doit (il, elle, on —), must (he, she, it, one —), *pres. ind. of* **devoir**

domination, *f.*, domination; dominion, rule

dominer, to dominate; to rise above

dompté, subdued, tamed

donc, therefore, then, consequently; by all means

donner, to give; **se —,** to be given; to take place

dont, of whom, of which, whose

dorénavant, from now on, henceforth

dormir, to sleep

dos, *m.*, back

doubler, to double

douce, *f. of* **doux**

douceur, *f.*, sweetness, gentleness

doute, *m.*, doubt; **sans —,** undoubtedly

doux (*f.* douce), sweet, charming, pleasant

douze, twelve

drapeau, *m.*, flag

droit, right, just, straight

droit, *m.*, right; law; jurisprudence

droite, *f.*, right (hand); **à —,** to (on) the right

du, *contraction of* **de le**

dupe, *m.*, dupe

dur, hard, harsh, painful; hard-hearted

eau, *f.*, water

écho, *m.*, echo

éclater, to burst, explode; to sparkle, shine

école, *f.*, school

écolier, *m.*, schoolboy; scholar; student

économe, economical, thrifty

économie, *f.*, economy; thrift; saving; **faire des —s,** to save money

économique, economic; economical

économiser, to economize; to save; to spare

écouter, to listen, listen to

écrier: s'—, to cry out, exclaim

écrire, to write; **de quoi —,** some writing material

édifice, *m.*, edifice, building

effet, *m.*, effect, result; **en —,** as a matter of fact

effort, *m.*, effort, exertion; attempt

église, *f.*, church

égoïste, egoistic; selfish

égoïste, *m.*, egoist; selfish man

eh!, ah!; **— bien!,** well!

élancer: s'—, to dash, rush forward; to spring

élevé, raised; high

élever, to elevate, lift up, raise; to bring up; **s'—,** to rise

elle, she, it; her; **—-même,** herself, itself

éloge, *m.*, eulogy, praise

émancipation, *f.*, emancipation; liberation

embrasser, to embrace; to hug; to kiss

emphase, *f.*, emphasis; bombast, grandiloquence

employer, to employ; to use

emporter, to take away, carry off

empresser: s'—, to hasten; to show eagerness

emprunteuse (*m.* emprunteur), *f.*, borrower

en, in, into, on; some, any; of it, of them; from it, from them; by; — **avant (d'eux),** ahead (of them); — **effet,** as a matter of fact; — **finir,** to get (it) over with; — **laisse,** on the leash; — **plein sur,** right on; — **route,** on the way; — **voyant,** upon seeing; **tout —,** while

encens, *m.,* incense; *fig.* flattery

encombrer, to encumber; to embarrass; to crowd

encore, again; yet; still; besides; — **davantage,** even more

endormi, asleep

endormir, to put to sleep; **s'—,** to fall asleep

énergie, *f.,* energy, vigor

enfant, *m., f.,* infant, child, baby

enfin, finally, at last

enlever, to remove, take away; to snatch away

énoncer, to enunciate; to state; to express

énorme, enormous, huge

enseigner, to teach

ensemble, together

ensuite, then, after, afterwards

entendre, to hear; — **parler de,** to hear about

entente, *f.,* understanding

enthousiasme, *m.,* enthusiasm; rapture

entier (*f.,* **entière**), entire, whole

entière, *f. of* **entier**

entièrement, entirely

entr'aider: s'—, to help each other

entre, between; among; — **deux âges,** middle-aged

entrée, *f.,* entrance

entrer, to enter

énumérer, to enumerate

envers, towards, to

épaule, *f.,* shoulder

épée, *f.,* sword

épine, *f.,* thorn

épouse, *f.,* spouse, wife

épouser, to marry; **s'—,** to get married

époux, *m.,* spouse, husband; *pl.,* (married) couple

erreur, *f.,* error, mistake

es (tu —), are (you —), *pres. ind. of* **être**

Espagne, *f.,* Spain

Espagnol, *m.,* Spaniard

espérer, to hope

espoir, *m.,* hope

esprit, *m.,* spirit; soul; mind, intellect; wit

essayer, to try

essentiellement, essentially

est (il, elle, on —), is (he, she, it, one —), *pres. ind. of* **être;** — **-ce que (qu'),** *interrogative phrase not translated*

est, *m.,* east

estimer, to estimate; to esteem; to consider; to deem

estomac, *m.,* stomach

estuaire, *m.,* estuary

et, and

étable, *f.,* stable, barn

établir, to establish; to found; to institute; **s'—,** to establish oneself

étang, *m.,* pond, pool

état, *m.,* state; **États-Unis,** United States

etc., etc., and so forth

été, been, *past part. of* **être**

été, *m.,* summer

étoile, *f.,* star; **bonne —,** lucky star

étonnant, astonishing, amazing

étonner, to astonish; **s'—,** to be astonished, surprised

étouffer, to suffocate; to choke; to stifle

étranger, strange; foreign

étranger, *m.,* foreigner; stranger

être, to be; to belong; to have (*as auxiliary*)

être, *m.,* being, creature

étude, *f.,* study

étudiant, *m.,* student

étudier, to study

eu, had, *past part.* of avoir

eux, them; they; **chacun d'—,** each of them

événement, *m.,* event

évident, evident

évoquer, to evoke; to bring back to mind

exagérer, to exaggerate

examiner, to examine; to inspect

exaspérer, to exasperate; to incense

excellent, excellent; delicious

excepté, except, excepting

exclamer: s'—, to exclaim, cry out

excuser, to excuse; to pardon

exemple, *m.,* example; **par —,** for instance

exempt, exempt, exempted, dispensed (from)

exercer, to exercise; to exert; to perform; **s'—,** to operate

exister, to exist

expérience, *f.,* experience; experiment

explication, *f.,* explanation

exploit, *m.,* exploit, feat

exploiter, to exploit; to take advantage of

exposer, to expose; to endanger; **s'—,** to expose oneself

expression, *f.,* expression

extension, *f.,* extension; extent

extrêmement, extremely, utterly

extrémité, *f.,* extremity, end, tip, point

fâcher, to anger; to offend; to displease; **se —,** to get angry; to be offended

facile, easy

faciliter, to facilitate, make easy

façon, *f.,* fashion; way, manner; **je vais faire à ma —,** I am going to do as I please

faible, feeble, weak

faim, *f.,* hunger; **je n'ai pas —,** I am not hungry

fainéant, idle, lazy

fainéant, *m.,* loafer, lazy fellow

faire, to do, make; to cause to; **to act; — la cuisine,** to do the cooking; **— des économies,** to save money; **— la lessive,** to do the washing; **— le mort,** to play dead; **— partie de,** to be part of, belong to; **— semblant (de),** to pretend (to); **se —,** to become; **se — vieux,** to grow old

faisiez (vous —), did, were doing (you —), *imperf. ind.* of faire; **que — -vous?,** what were you doing?, what did you do?

fait (il, elle, on —), does, makes (he, she, it, one —), *pres. ind.* of faire; **il — froid,** it is cold; **il — nuit,** it is nighttime; **il se — marchand,** he becomes a merchant; made, done, *past part.* of faire

falloir, to be necessary, have to; must; ought

fallût (qu'il —), should be necessary (that it —), *imperf. subj.* of falloir

fameuse, *f.* of fameux

fameux (*f.* fameuse), famous

famille, *f.,* family

famine, *f.,* famine; starvation

fantastique, fantastic; unbelievable

farcir, to stuff; to fill in

farine, *f.,* flour

fasciner, to fascinate

fatal, fatal; calamitous, disastrous; fated

fatigue, *f.,* fatigue; weariness; **brisé de —,** dead tired

fatigué, fatigued; weary, tired

fatiguer, to fatigue, tire; **se —,** to get tired

faut (il —), is necessary (it —); must (one —); *pres. ind.* of falloir

faveur, *f.,* favor; **en — de,** in behalf of

favorable, favorable
favori (*f.* **favorite**), favorite
favoriser, to favor; to promote; to facilitate
favorite, *f. of* favori
fédération, *f.*, federation
femme, *f.*, woman; wife
fermer, to close
fertilité, *f.*, fertility; fruitfulness
feu, *m.*, fire
fier (*f.* **fière**), proud
fière, *f. of* fier
figure, *f.*, face
fille, *f.*, daughter; **jeune —**, girl
fils, *m.*, son; **petit- —**, grandson
fin, fine, first-class
fin, *f.*, end
finalement, finally
finir, to finish, end; **en —**, to get (it) over with
flambeau, *m.*, torch; light
flatter, to flatter
flatterie, *f.*, flattery; praise
flatteur, flattering
flatteur (*f.* **flatteuse**), *m.*, flatterer
flatteuse, *f. of* flatteur
fleur, *f.*, flower
fleuri, blossoming; flowery
fleuve, *m.*, river
flotter, to float; to wave
foi, *f.*, faith; honor
fois, *f.*, time; **à la —**, all in one; at the same time
folie, *f.*, folly; madness; mania
fond, *m.*, bottom; depth; end
fondation, *f.*, foundation
force, *f.*, force, strength; power; **de toutes ses —s**, with all his (her, its, one's) might
forcer, to force; to compel
forêt, *f.*, forest
former, to form, shape; to make up; to comprise
formidable, formidable; dreadful
fort, strong, powerful, mighty; very, exceedingly; **— bien**, very well

fortune, *f.*, fortune
fourmi, *f.*, ant
fournir, to furnish; to supply; to give
fournissant, furnishing, supplying, *pres. part. of* fournir; **en —**, by supplying
fourrure, *f.*, fur; skin
franc, *m.*, franc
français, French
Français, *m.*, Frenchman
franchir, to cross, pass through, pass over
frapper, to strike; to hit
fréquent, frequent
fréquenter, to frequent; to attend; to haunt; to keep company with
frère, *m.*, brother
froid, cold, chilly
froid, *m.*, cold, chill; **il fait —**, it is cold
fromage, *m.*, cheese
front, *m.*, forehead, brow; front
frontière, *f.*, frontier, border
furieuse, *f. of* furieux
furieux (*f.* **furieuse**), furious, mad
furieusement, furiously; forcefully; violently
furtivement, furtively, slyly
fut (**il, elle, on —**), was (he, she, it, one —), *past def. of* être; **— venu(e)**, had come

gagner, to gain; to win; to earn
gain, *m.*, gain, profit; earnings; winnings
garçon, *m.*, boy, lad
garde, *f.* guard; care, custody
garder, to keep; to guard, protect
Gascogne, *f.*, Gascony
gâter, to spoil; to damage; **se —**, to spoil; to go wrong
gauche, *f.*, left (hand); **à —**, to (on) the left
Gaule, *f.*, Gaul
gazon, *m.*, grass; turf; lawn
gelé, frozen; frostbitten

geler, to freeze
général (*pl.* **généraux**), general
général, *m.*, general
Genève, *f.*, Geneva
gens, *pl.*, people; **braves —**, good people; **honnêtes —**, well-bred people, worthy people
gentilhomme, *m.*, gentleman; nobleman
géographie, *f.*, geography
géographique, geographic(al)
gésir, to lie
geste, *m.*, gesture; motion; movement
gesticuler, to gesticulate
gît (**il, elle, on —**), lies (he, she, it, one —), *pres. ind. of* gésir; **ci- —**, here lies
glace, *f.*, ice
glacé, icy; frozen; glossy
glacier, *m.*, glacier
glanure, *f.*, gleaning(s)
glou, (*gurgling sound*)
gorge, *f.*, throat; neck
gothique, Gothic
gouvernement, *m.*, government
gra, (*gurgling sound*)
grâce, *f.*, grace; charm; favor; pardon; **— à**, thanks to
graduellement, gradually
grain, *m.*, grain; bit; particle
grand' *for* grande
grand, great; large; big; tall
grandir, to grow, grow up
grand-père, *m.*, grandfather
granitique, granitic
gras (*f.* **grasse**), fat
grasse, *f. of* gras
gratuit, gratuitous, free; gratis
grec (*f.* **grecque**), Greek
Grèce, *f.*, Greece
gris, gray; gray-haired
gros (*f.* **grosse**), big; stout; thick
grosse, *f. of* gros
groupe, *m.*, group; cluster
gué: au —!, pardie!
guère, hardly, not much, but little

guerre, *f.*, war; **— mondiale**, world war
gueule, *f.*, mouth (*of an animal*)
guide, *m.*, guide
guise, *f.*, manner, way; **en — de**, by way of, as a token of
Guyane, *f.*, Guiana

(*Aspirate* **h** *is marked with an asterisk*)

habitant, *m.*, inhabitant
habiter, to inhabit; to dwell, live (in)
*****haine**, *f.*, hatred, hate
*****haïr**, to hate
*****hareng**, *m.*, herring
*****hâte**, *f.*, haste, hurry; **à la —**, in a hurry
*****haut**, high; tall; lofty; loud (*voice*)
*****haut**, *m.*, height; **dix mille pieds de —**, ten thousand feet high
*****hé!**, hey!
hélas!, alas!
Henri, Henry
héréditaire, hereditary
*****héros**, *m.*, hero
heure, *f.*, hour; o'clock; **de bonne —**, early
heureuse, *f. of* heureux
heureux (*f.* **heureuse**), happy; fortunate, lucky
histoire, *f.*, history; story
historiette, *f.*, little story
hiver, *m.*, winter; **sports d'—**, winter sports
*****ho!**, ho!
homme, *m.*, man
honnête, honest; virtuous; polite, well-bred
honnêtement, honestly; fairly; courteously
honnêteté, *f.*, honesty; courtesy
honneur, *m.*, honor
honorer, to honor
*****honteux** (*f.* **honteuse**), ashamed; shameful

horreur, *f.*, horror; —!, how frightful!

horrible, horrible; frightful

hôte, *m.*, host; guest; inhabitant

hôtel, *m.*, hotel

hôtelier, *m.*, innkeeper

***huit,** eight

***huitième,** eighth

humeur, *f.*, humor; temper; mood

***hurlement,** *m.*, howl, yell, shriek

***hurler,** to howl, yell, shriek

ici, here

idée, *f.*, idea, thought

identique, identical; very same

identité, *f.*, identity

il, he, it; — **y a,** there is, there are

île, *f.*, island, isle

illustre, illustrious, famous

image, *f.*, image, picture

imbécile, imbecile, idiotic, stupid

imbécilité, *f.*, imbecility, stupidity

immédiatement, immediately

immense, immense, huge, enormous

impatienté, out of patience; provoked

important, important

importer, to matter, be of importance; **n'importe quel,** any; **n'importe,** never mind

importuner, to importune; to bother; to annoy; to pester

imposer, to impose; to force

impossible, impossible

incalculable, incalculable; countless

incapable, incapable; unable

incomparable, incomparable, peerless

inconsolable, inconsolable, disconsolate

incorporer, to incorporate; to merge; to fuse; **s'—,** to merge; to be incorporated, fused

indécis, undecided; hesitant

indifférence, *f.*, indifference

indochinois, Indo-Chinese

industrie, *f.*, industry; diligence; effort

inexorable, inexorable; unrelenting; pitiless

inexpérimenté, inexperienced

inexplicable, inexplicable; unaccountable

infernal (*pl.* **infernaux**), infernal, diabolical

infirme, infirm; crippled; invalid

influence, *f.*, influence

informer, to inform; to acquaint someone with (a fact); to give information

ingrat, ungrateful; thankless

injuste, unjust, unfair

injustice, *f.*, injustice

inondation, *f.*, inundation, flood

insister, to insist; to persist

inspirer, to inspire

installer, to install; to set up

instant, *m.*, instant, moment; **à l'—,** immediately

instinctif (*f.* **instinctive**), instinctive

instinctive, *f. of* **instinctif**

institution, *f.*, institution

instruire, to instruct; to inform; to teach, educate

instruit, instructed; learned, cultured

insuffisant, insufficient, inadequate

intellectuel (*f.* **intellectuelle**), intellectual

intellectuelle, *f. of* **intellectuel**

intelligent, intelligent, clever

intérêt, *m.*, interest

intérieur, *m.*, interior; inner; inland; inside

intermédiaire, *m.*, intermediary; **par l'— de,** by means of, through (the good offices of)

interruption, *f.*, interruption; break

intervenir, to intervene; to intrude; to cut in

intervient (il, elle —), intervenes, cuts in (he, she, it —), *pres. ind. of* intervenir

intimement, intimately; closely

intrépide, intrepid; fearless

invasion, *f.*, invasion

invention, *f.*, invention

invité, *m.*, guest

inviter, to invite

invraisemblable, unbelievable; unlikely; preposterous

ironique, ironical

irrégulier (*f.* irrégulière), irregular, uneven

irrégulière, *f. of* irrégulier

Jacquinot, Jimmy

jadis, of old; formerly

jamais, never; ever; ne ... —, never

jardin, *m.*, garden

je, I

Jeannette, Jenny

jeter, to throw, fling, toss; se — sur, to pounce on

jeu, *m.*, play; game; gambling

jeune, young; —s gens, young people

jeunesse, *f.*, youth; young people

joie, *f.*, joy

joli, pretty, nice

jouer, to play; to gamble; to trick

joueur, *m.*, player; gambler

jour, *m.*, day; daylight; — de marché, market day; — maigre, meatless day; au lever du —, at daybreak; un beau —, one day

journalier, daily

jovial (*pl.* joviaux), jovial

joyeuse, *f. of* joyeux

joyeux (*f.* joyeuse), joyous, merry

jugement, *m.*, judgment; decision

jurer, to swear; to fume

jusque, up to, as far as

justice, *f.*, justice; law; cour de —, court (of law)

l', *for* le *and* la

la, *f. def. art.*, the; *pron.*, her, it

là, there; —-bas, down there, yonder

lac, *m.*, lake

lâcher, to release, let go

laisse, *f.*, leash; en —, on the leash

laisser, to leave; to let; to allow, permit; — tomber, to drop

lancer, to throw; to fling

lande, *f.*, waste land, heath

langage, *m.*, language; speech; — courant, everyday speech

langue, *f.*, language; tongue

laquelle, *f. of* lequel

large, wide

larme, *f.*, tear

latin, Latin

laver, to wash

le, *m. def. art.*, the; *pron.* him, it; so; — voilà, there he is

leçon, *f.*, lesson

lecture, *f.*, reading

légende, *f.*, legend

léger (*f.* légère), light; slight; faint (*of sound*)

légèrement, lightly; faintly

légion, *f.*, legion; army

légitime, legitimate, justifiable

lendemain, *m.*, next day; le — matin, the next morning

lequel (*f.* laquelle; *m. pl.* lesquels; *f. pl.* lesquelles), which, which one, who; whom; that

les, *m., f. pl. def. art.*, the; *pron.* them; tous — deux, both

lessive, *f.*, laundry, washing; faire la —, to do the laundry; jour de la —, washday

leur, *adj.*, their; *pron.* to them

lever, to lift; to raise; se —, to rise, get up

lever, *m.*, rise; au — du jour, at daybreak

libéralement, liberally; bountifully

libérer, to liberate, free, set free

liberté, *f.*, liberty, freedom

lien, *m.*, tie, bond; link

lieu, *m.*, place, spot; **avoir —,** to take place

limite, *f.*, limit, bound

limpide, limpid

linge, *m.*, linen; clothes; laundry

lire, to read

liste, *f.*, list, roll

lit, *m.*, bed; **au —,** in bed

littérature, *f.*, literature

livre, *m.*, book

loger, to lodge, live; to accommodate

loi, *f.*, law; rule

loin, far; **de —,** from a distance

lointain, distant; remote

loisir, *m.*, leisure; **à —,** leisurely

long (*f.* longue), long

longtemps, a long time; **plus —,** longer; **le plus — possible,** as long as possible

longue, *f. of* long

loquace, loquacious, talkative

lorsque, when

louange, *f.*, praise; adulation

louis: **— d'or,** twenty-franc piece; gold coin

Louksor, *m.*, Luxor

loup, *m.*, wolf; **au —!,** wolf!

lourd, heavy; **— de,** heavy with

lui, he, him; to him, to her, to it; **à —,** his (own)

lugubre, lugubrious, mournful

Lyon, *m.*, Lyons

m', *for* me

ma, my

machinal (*pl.* machinaux), mechanical; automatic

magasin, *m.*, store

magnétiser, to magnetize

magnifique, magnificent, grand, sumptuous; gorgeous

maigre, meager; lean, thin; small; **jour —,** meatless day

main, *f.*, hand; **sous la —,** at hand

maintenant, now

mais, but

maison, *f.*, house; **à la —,** (at) home

maître, *m.*, master; owner; Mr.

majestueuse, *f. of* majestueux

majestueux (*f.* majestueuse), majestic, imposing

mal, badly; bad; ill, sick

mal (*pl.* maux), *m.*, evil; ailment, ill; pain; harm

malgré, in spite of

malheureusement, unfortunately

maman, *f.*, mama, mummy; mother

Manche (La), the English Channel

manger, to eat

manière, *f.*, manner, way

manquer, to lack; to be missing; to miss

marchand, *m.*, merchant

marché, *m.*, market; **jour de —,** market day

marcher, to march; to walk

mari, *m.*, husband

mariage, *m.*, marriage

marier, to marry, join in marriage; to give in marriage; **se —,** to marry, get married

marin, *m.*, seaman, sailor

marquise, *f.*, Marchioness

Marseille, *f.*, Marseilles

massif, *m.*, mountain mass; **Massif Central,** Central Highland

matin, *m.*, morning; **de grand —,** bright and early

mauvais, bad; wicked

maux, *pl. of* mal

me, me; to me; myself

Méditerranée, *f.*, Mediterranean

meilleur, better; best

même, same; self; **elle-—,** herself, itself

même, *adv.*, even; **pas —,** not even

mémorable, memorable

menace, *f.*, menace; threat

menacer, to menace; to threaten

mendiant, *m.*, mendicant, beggar

mentionner, to mention

mentir, to lie; sans —, honestly

mer, *f.*, sea; territoires d'outre--—, overseas territories

merci, *f.*, mercy

merci, *m.*, thanks; Dieu —!, thank goodness!; — de, thanks for

mère, *f.*, mother; belle--—, mother-in-law

mérite, *m.*, merit, worth; glory

mériter, to merit; to deserve

merveille, *f.*, marvel; wonder; prodigy; la huitième — du monde, the eighth wonder of the world

messieurs, *pl. of* monsieur

met (il, elle, on —), puts (he, she, it, one —), *pres. ind. of* mettre

mètre, *m.*, meter (1.0936 yards)

mettre, to put, place; se — à, to begin

meurt (il, elle, on —), dies (he, she, it, one —), *pres. ind. of* mourir

mie, *f., for* amie; ma —, my darling; my lass

mien (*f.* mienne), mine; le —, mine, my own

mienne, *f. of* mien

mieux, better; best; j'aime —, I would rather, I prefer; tant —, so much the better

migration, *f.*, migration

milieu (*pl.* milieux), *m.*, milieu; environment; middle; midst; au —, in the middle, in the midst

militaire, military; port —, naval base

mille, thousand; one thousand

millier, *m.*, (about a) thousand; des —s, thousands

million, *m.*, million

minuit, *f.*, midnight; à — précis, at the stroke of midnight

minute, *f.*, minute

miroir, *m.*, mirror; looking glass

misérable, miserable, wretched

misérable, *m.*, wretch

moderne, modern

moi, I; me; to me; à —, mine, my own; chez —, at (my) home

moindre, less(er), least; minor

moins, less; fewer; au —, du —, at least

mois, *m.*, month

moitié, *f.*, half

moment, *m.*, moment, instant

mon, my

monde, *m.*, world; people; tout le —, everybody

mondial, world-wide; guerre —e, world war

monsieur (*pl.* messieurs), *m.*, Mister, Mr., Sir; gentleman

monstre, *m.*, monster

monstrueuse, *f. of* monstrueux

monstrueux (*f.* monstrueuse), monstrous; colossal; horrible

mont, *m.*, mount, mountain

montagne, *f.*, mountain

monter, to mount, climb; to get on (a horse); to ride

montrer, to show

monument, *m.*, monument

monumental (*pl.* monumentaux), monumental, huge

morale, *f.*, moral

morceau, *m.*, morsel; piece; selection

mort, dead, *past part. of* mourir

mort, *f.*, death

mort, *m.*, dead (man); corpse; faire le —, to play dead

mot, *m.*, word

mouche, *f.*, fly

mourir, to die

mousse, *f.*, moss

mouvement, *m.*, movement; impulse

moyen (*f.* moyenne), middle; d'âge —, middle-aged

moyen, *m.*, means; way, manner

moyenne, *f. of* moyen

muet (*f.* muette), mute, dumb; speechless; silent

muette, *f. of* muet
muraille, *f.*, wall; rampart
murmurer, to murmur, whisper; to grumble; to mumble
musée, *m.*, museum
mutuellement, mutually
mystérieuse, *f. of* mystérieux
mystérieux (*f.* mystérieuse), mysterious

n', *for* ne
naître, to be born; to rise
natal, native; natal; ville —e, home town
nationalité, *f.*, nationality
nature, *f.*, nature
navigable, navigable
navigateur, *m.*, navigator; seafarer; seaman
ne, *neg. particle (commonly accompanied by* pas, point, *etc.*); — ... pas, not; — ... personne, no one; — ... que, only, but
né, born, *past part. of* naître
nécessité, *f.*, necessity, need
neige, *f.*, snow; couvert de —, covered with snow
neigeuse, *f. of* neigeux
neigeux (*f.* neigeuse), snowy, snow-capped
nettoyer, to clean; — le bébé, to change the baby's diapers
neuf, nine
nez, *m.*, nose
ni ... ni, neither ... nor
noble, noble; lofty
noble, *m.*, nobleman
noblesse, *f.*, nobility; nobleness
Noël, *m.*, Christmas; conte de —, Christmas tale; veille de —, Christmas Eve
noir, black; dark
noir, *m.*, mourning
nom, *m.*, name
nombre, *m.*, number
nombreuse, *f. of* nombreux

nombreux (*f.* nombreuse), numerous; many
non, no; not; — pas, not; — seulement, not only
nord, *m.*, north
normal, normal
Normand, *m.*, Norman
Normandie, *f.*, Normandy
notable, notable; eminent
notion, *f.*, notion; information; knowledge
notre, our
nouveau (*f.* nouvelle), new; next; de —, anew, again
nouvelle, *f. of* nouveau
nouvelle, *f.*, news
nuage, *m.*, cloud
nuit, *f.*, night; la —, at night; il fait —, it is nighttime

ô, O, oh
obéir, to obey; to mind
obélisque, *m.*, obelisk
objet, *m.*, object; aim, purpose
obliger, to oblige; to compel
obtenir, to obtain, get; to secure
occasion, *f.*, occasion, chance
occupation, *f.*, occupation
océan, *m.*, ocean
Océanie, *f.*, Oceania, South Sea Islands
odeur, *f.*, odor, smell; fragrance
œil (*pl.* yeux), *m.*, eye
œuvre, *f.*, work; production
offre, *f.*, offer
offrir, to offer
oh!, O! ho!
oiseau, *m.*, bird
ombre, *f.*, shade; shadow
omelette, *f.*, omelet
on (*also* l'on), one, we, they, you, people
ont (ils, elles —), have (they —), *pres. ind. of* avoir
opérer, to operate, work
opinion, *f.*, opinion
or, well, well then

or, *m.*, gold; **louis d'—**, twenty-franc piece, gold coin; **pièce d'—**, gold coin

ordonner, to order; to arrange; to regulate

ordre, *m.*, order; **de premier —**, first-rate

oreille, *f.*, ear

Orléans, *f.*, Orleans

ornement, *m.*, ornament; pride

ou, or; **— bien**, or; **— ... —**, either ... or

où, where; when; in which, to which

oublier, to forget

ouest, *m.*, west

oui, yes

oût (*also* août), *m.*, August; harvest

outre: **d'—-mer**, beyond the seas, overseas

ouvert, open, *past part. of* ouvrir

ouvrier, *m.*, worker, workman

ouvrir, to open

paierai (**je —**), shall pay (**I —**), *fut. of* payer

pain, *m.*, bread

paisiblement, peacefully, peaceably

paix, *f.*, peace; **laisser en —**, to leave alone

palais, *m.*, palace

palper, to feel, handle

panégyriste, *m.*, panegyrist

panier, *m.*, basket

papa, *m.*, papa, dad

paquet, *m.*, packet, package, bundle

par, by; through; **— exemple**, for example; **— terre**, on (to) the ground

paradis, *m.*, paradise

paraissaient (**ils, elles —**), seemed (they **—**), *imperf. ind. of* paraître

paraît (**il —**), seems (it **—**), *pres. ind. of* paraître

paraître, to seem, appear; to look like

parasite, *m.*, parasite

parc, *m.*, park

parce que, because, for

par-dessus, above

parfait, perfect, complete

parfois, sometimes

Parisien, *m.*, Parisian, man from Paris

parler, to speak, talk; **entendre — de**, to hear about

parole, *f.*, word; speech

part, *f.*, part; share

particulier (*f.* particulière), particular, special; **tout —**, all their (his, her, *etc.*) own

partie, *f.*, part; **faire — de**, to be part of; to belong to

partir, to depart, leave; to go, go away

partout, everywhere; **un peu —**, here and there

pas, *m.*, step; pace; **— à —**, step by step

pas, not, no, not any; **ne ... —**, not; **— du tout**, not at all; **— même**, not even; **— plus que**, no more than

passant, *m.*, passer-by

passer, to pass; to go by; to spend (*time*)

patrie, *f.*, fatherland; native land; homeland

patrimoine, *m.*, patrimony, heritage

patriotique, patriotic

pauvre, poor

pauvre, *m.*, poor man

payer, to pay; to pay for

pays, *m.*, country

paysan, *m.*, peasant

peau, *f.*, skin; hide

pêche, *f.*, fishing

peine, *f.*, pain, affliction, grief, sorrow; difficulty; **à —**, hardly, barely

pencher, to bend, lean; **se —**, to bend over, bend down

pendant, during; **— que**, while

pendre, to hang

pendule, *f.*, clock
pénible, painful; irksome; laborious
péninsule, *f.*, peninsula
pensée, *f.*, thought, idea
penser, to think; — **à,** to think of
percher, to perch, roost
perdre, to lose
père, *m.*, father
permettre, to permit, allow
persévérer, to persevere
personnage, *m.*, personage, person of rank
personne, *f.*, person, individual
personne, *m.* (*in the negative*), nobody; anybody
persuader, to persuade; to convince
petit, little, small; — **à —,** little by little; —**-fils,** grandson
peu, little, not much; few, not many; à — **près,** approximately; **un —,** a little; — **à —,** little by little
peuple, *m.*, people; population; nation; crowd
peut (**il, elle, on —**), can (he, she, it, one —), *pres. ind. of* **pouvoir**
peut-être, perhaps, maybe
peuvent (**ils, elles —**), can (they —), *pres. ind. of* **pouvoir**
peux (**je, tu —**), can (I, you —), *pres. ind. of* **pouvoir**
philosophe, *m.*, philosopher
philosophie, *f.*, philosophy
phénix, *m.*, phoenix; paragon
physique, *f.*, physics
pic, *m.*, peak
pièce, *f.*, piece; coin; — **d'or,** gold coin
pied, *m.*, foot; à —, on foot; **aux —s de,** at the foot of (*a mountain*)
pierre, *f.*, stone
pile, *f.*, pile, heap
pis, worse; worst; **tant —,** so much the worse
pistolet, *m.*, pistol

pitié, *f.*, pity, compassion
pittoresque, picturesque
place, *f.*, place; public square; spot
placer, to place; to invest
plagiaire, *m.*, plagiarist
plaindre, to pity; **se —,** to complain
plaine, *f.*, plain; prairie
plaire, to please; **s'il vous plaît,** (if you) please
plaisait (**il, elle, on —**), pleased (he, she, it, one —), *imperf. ind. of* **plaire**
plaisir, *m.*, pleasure
plaît: s'il vous —, (if you) please
plan, *m.*, plan; project
plancher, *m.*, floor
planter, to plant; **se —,** to take a firm stand
plateau, *m.*, tableland, plateau
plein, full, filled; **en — sur,** right on
pleur, *m.*, *poet.*, tear, lament; *pl.*, tears
pleurer, to cry, weep; to weep over
plier, to fold; to bend
plonger, to plunge; to dip; to immerse
plumage, *m.*, plumage, feathers
plus, more; most; — **âgée,** older; — **longtemps,** longer; **de —,** moreover; **ne . . . —,** no longer; **ne . . . — qu'avec,** only with; **il n'a — rien,** he has nothing left; **pas — que,** no more than
plusieurs, several
plutôt, rather
poche, *f.*, pocket
point, *adv.*, not, not in the least
point, *m.*, point, place
poisson, *m.*, fish
port, *m.*, port; — **militaire,** naval base
porte, *f.*, door
porter, to carry; to bring; to wear; — **un nom,** to have a (family) name
posséder, to possess; to own

possible, possible

potentiel, *m.*, potentiality; possibility

pouah!, faugh!, disgusting!

pour, for; in order to; — cent, per cent; — que, in order that, so that

pourchasser, to chase, pursue

pourquoi, why; — faire?, what for?

pourra (il, elle, on —), will be able (he, she, it, one —), *fut. of* pouvoir

pourtant, however; yet; nevertheless

pousser, to push, shove; — un cri, to utter a cry, shriek

pouvoir, to be able

pratique, practical

précédemment, previously

précipiter, to precipitate; to throw; se —, to dash, rush

précis, precise; à minuit —, at the stroke of midnight

préférer, to prefer

premier (*f.* première), first; de — ordre, first-rate

première, *f. of* premier

prendre, to take; to catch; — soin de, to take care of

préoccuper, to preoccupy; se —, to worry

préparer, to prepare; to make ready; se —, to get ready

près, near; à peu —, approximately; de —, closely

présence, *f.*, presence

présent, *m.*, present; gift

présenter, to present; to introduce; to show; se —, to present oneself; to come along, appear

président, *m.*, president

presque, nearly, almost

pressentiment, *m.*, presentiment, foreboding

presser, to press; se —, to hurry, hasten

pression, *f.*, pressure

prestement, presto; nimbly; cleverly

prétention, *f.*, pretension; claim

prêter, to lend, loan

prêteur (*f.* prêteuse), disposed to lending

prêteuse, *f. of* prêteur

prier, to pray; to beg

prince, *m.*, prince

principal (*pl.* principaux), principal, main

principal, *m.*, principal; capital

principaux, *pl. of* principal

pris, caught, *past part. of* prendre

prison, *f.*, prison, jail

prix, *m.*, price; cost; à tout —, at all costs

prodige, *m.*, prodigy, marvel; wonder

produit, *m.*, product; produce

professionnel (*f.* professionnelle), professional; master

professionnelle, *f. of* professionnel

profond, profound; deep

profondément, profoundly; deeply; soundly

profondeur, *f.*, profoundness; depth; extent

proie, *f.*, prey; quarry

promenade, *f.*, stroll; walk

promener, to promenade; to walk; to take out for a stroll

promesse, *f.*, promise

promettre, to promise; to vow, swear

promis, promised, *past part. of* promettre

promptement, promptly

propos, *m.*, discourse; remark; à — de, concerning, speaking of

proposer, to propose; to suggest; se — de, to intend to

propre, proper; own; fit; right; clean; son —, sa —, his (her, its, one's) own

prospérité, *f.,* prosperity; well-being

protectorat, *m.,* protectorate

protéger, to protect, defend; to shield

prouesse, *f.,* prowess; exploit; feat

proverbe, *m.,* proverb

proverbial (*pl.* **proverbiaux**), proverbial

province, *f.,* province

provision, *f.,* provision; supply, stock; *pl.,* food

prudent, prudent, cautious

public (*f.* **publique**), public

publique, *f. of* **public**

puis, then, afterwards; after that; besides

puis (je —), can (I —), *pres. ind. of* **pouvoir**

puissance, *f.,* power; — **de premier ordre,** world power

pur, pure; clear; sheer

purifier, to purify; to cleanse, clean

puy, *m.,* puy, conical hill (*esp. in Auvergne*)

Pyrénées, *f. pl.,* Pyrenees

qu', *for* **que**

qualité, *f.,* quality; virtue; excellence; title; rank

quand, when

quarante, forty

quartier, *m.,* quarter; district; **Quartier Latin,** Latin Quarter

que, that, which, what; than; as; but; how; — **de crimes!,** what crimes!; **rien —,** just, only

quel (*f.* **quelle;** *m. pl.* **quels;** *f. pl.* **quelles**), what (a), how great; which, who; **n'importe —,** any

quelle, *f. of* **quel**

quelque, some, any; a few; — **chose** (**de**), something

querelleur (*f.* **querelleuse**), quarrelsome

querelleuse, *f. of* **querelleur**

qu'est-ce que, what

qu'est-ce qui, what

queue, *f.,* tail

qui who, whom, that, which; the one who; **voilà — est fait!,** that's done!

quiconque, anyone; any; whoever

quitter, to leave, quit, abandon; to give up

quoi, what; which; **de — écrire,** some writing material; —**!,** what!

ra!, (*gurgling sound*)

race, *f.,* race; ancestry; family

raconter, to tell, recount; to relate

raison, *f.,* reason; argument; **avoir —,** to be right; **la — du plus fort,** the argument of the strongest

raisonnable, reasonable; rational; sensible

rajuster, to readjust; to settle; to reconcile

ramage, *m.,* singing, warbling

rapide, rapid, swift, fast

rapidement, quickly, hurriedly

rappeler, to remind; to recall; **se —,** to remember, to recall

rapporter, to report; to bring back; **se —,** to be related; to deal (with)

rapprocher, to bring together, join; **se —,** to come near; to draw nearer

rare, rare, uncommon; scarce

rayonner, to radiate; to shine; to beam

réalité, *f.,* reality; **en —,** actually

récemment, recently

recevoir, to receive; to welcome

réciprocité, *f.,* reciprocity

recommencer, to recommence, begin again

reconnaît (**il, elle, on —**), recognizes (he, she, it, one —), *pres. ind. of* **reconnaître**

reconnaître, to recognize

reconstituer, to reconstitute, reconstruct, rebuild

redoubler, to redouble; to increase

réfléchir, to reflect; to think, meditate

réflexion, f., reflection, thought; consideration

refuge, m., refuge, shelter

réfugier: se —, to take refuge; to seek shelter

refuser, to refuse; to decline

regard, m., look, gaze; stare

regarder, to look, look at

régiment, m., regiment

région, f., region, section (of a country)

registre, m., register; roster

regrettable, regrettable, deplorable

regretter, to regret; to be sorry (for); to miss

relativement, relatively

relief, m., relief

relire, to reread, read (over) again

remarier, to remarry; se —, to get married again

remarquable, remarkable

remarquer, to remark; to note, notice

remerciement, m., thanks

remercier, to thank

remettre, to remit; to put back; se — en route, to set out again

remise, f., coach house

remonter, to bring up again; to go up again

remplir, to fill

renard, m., fox

rencontre, f., meeting; encounter

rencontrer, to meet; to encounter

rendre, to render; to give back; se — à, to go, betake oneself to

renverser, to overthrow; to spill; to upset

renvoyer, to send away; to dismiss

repas, m., repast, meal

repentir: se —, to repent; to be sorry

répéter, to repeat

répliquer, to reply; to retort; to rejoin

répondre, to answer; to respond

repos, m., rest; tranquillity

reposer, to lie, rest; to lie buried; se —, to rest

reprendre, to take back; to resume; to begin again; to retort

reprenez (vous —), take back (you —), pres. ind. of reprendre; take back, imper. of reprendre

reprennent (ils, elles —), resume (they —), pres. ind. of reprendre

représenter, to represent; to mean; to depict, portray

république, f., republic

répugner, to be repugnant, repelling; to feel repulsion toward; (il) me répugne, (he) disgusts me

réputation, f., reputation, renown

réserver, to reserve

réservoir, m., reservoir

résidence, f., residence, dwelling

respectable, respectable

respecter, to respect

respiration, f., respiration; breathing; breath

ressemblance, f., resemblance, similarity

reste, m., rest, remainder; pl. scraps

rester, to remain; to stay; to be left

retenir, to retain; to hold (back)

retient (il, elle, on —), holds (back) (he, she, it, one —), pres. ind. of retenir

retirer, to withdraw; se —, to retire

retomber, to fall again; to fall back

retourner, to return, go back

retrouver, to find again; se —, to be found again

réussir, to succeed; to be successful

rêve, m., dream

réveiller, to awaken; to arouse; se —, to wake up

révéler, to reveal; to disclose; se —, to reveal oneself (one's character) revenir, to come back; to return

revoir, to see again; to meet again

révolte, *f.*, revolt; rebellion

révolter, to shock, disgust; se —, to revolt, rebel

révolution, *f.*, revolution

Rhône, *m.*, Rhone

rien, nothing, anything; — du tout, nothing at all; — que, only; il n'a plus —, he has nothing left

rien, *m.*, trifle

rigueur, *f.*, rigor; inclemency (*of winter*)

rivière, *f.*, river

robe, *f.*, robe; gown, dress

robuste, robust; sturdy

roi, *m.*, king

rôle, *m.*, role; part; à tour de —, by turns

romain, Roman

Roncevaux, Roncesvalles

rose, *f.*, rose

roseau, *m.*, reed

rosée, *f.*, dew

rotation, *f.*, rotation

rôtir, to roast; to fry

rouge, red

rouler, to roll

roulette, *f.*, roulette

route, *f.*, route; road; en —, on the way

royal, royal

ruban, *m.*, ribbon

rue, *f.*, street

ruine, *f.*, ruin; ruination

ruiné, ruined; bankrupt

ruse, *f.*, ruse, guile; trick

s', *for* se *or* si

sa, his, her, its

sachez, know, *imper. of* savoir; —-le!, mind you!

sacrifice, *m.*, sacrifice

sais (je, tu —), know (I, you —), *pres. ind. of* savoir

saisir, to seize; to catch

saison, *f.*, season

salaire, *m.*, salary

Salamanque, *f.*, Salamanca

salle, *f.*, room; hall; — de jeu, gambling hall

sans, without; — cesse, unceasingly; — cœur, heartless; — doute, undoubtedly

Santillane, Santillana

satisfaction, *f.*, satisfaction, contentment

satisfait, satisfied, contented

sauce, *f.*, sauce; gravy

sauter, to jump, leap; to jump down; la banque a sauté, the bank is broken

savoir, to know; to know how

savoir, *m.*, knowledge, erudition

savonneuse, *f. of* savonneux

savonneux (*f.* savonneuse), soapy, sudsy

science, *f.*, science; knowledge

scintiller, to scintillate, sparkle; to twinkle

se, himself, herself, itself, oneself, themselves, each other; to himself, herself, *etc.*

seau, *m.*, pail, bucket

second, second

secours, *m.*, succor, help, assistance; au —!, help!

seigneur, *m.*, lord

selon, according to

semblable, alike, similar; like

sembler, to seem, appear

sens, *m.*, sense; meaning; direction

sentiment, *m.*, sentiment, feeling

sentir, to feel; to smell

sept, seven

servir, to serve; to be of use; se — de, to make use of

ses, *pl. of* son *and* sa

seul, alone; single; only

seulement, only

si, if; whether; so; yes

siècle, *m.*, century

sien, (*f.* sienne), his, his own; hers, her own; its, its own; one's (own)

sienne, *f. of* sien
silence, *m.*, silence
similarité, *f.*, similarity; likeness
simple, simple
simplement, simply
simuler, to simulate, feign
simultanément, simultaneously, at the same time
sinon, otherwise, else; or else
site, *m.*, site; scenery
situé, situated
six, six
société, *f.*, society
sofa, *m.*, sofa, settee
soi, oneself, himself, herself, itself; — -même, oneself, himself, herself, itself
soin, *m.*, care; prendre — de, to take care of
soir, *m.*, evening; night; le —, in the evening
soirée, *f.*, evening; (evening) party
soit (qu'il, elle, on —), be, is (that he, she, it, one —), *pres. subj. of* être
soixante, sixty
sol, *m.*, soil; ground
soldat, *m.*, soldier
sommes (nous —), are (we —), *pres. ind. of* être
sommet, *m.*, summit, top, peak
son, his, her, its
songer, to think; to dream; to muse
sonner, to sound; to ring; to strike (*of clocks*)
sont (ils, elles —), are (they —), *pres. ind. of* être
sors (je —), am leaving (I —), *pres. ind. of* sortir; go out, *imper. of* sortir
sort, *m.*, fate, destiny
sorte, *f.*, sort, kind
sortir, to go out; to get out; to come out
sou, *m.*, sou; penny
souci, *m.*, care; anxiety, worry
soudain, sudden(ly); unexpected

souffle, *m.*, breath; breathing
souffrance, *f.*, suffering, pain
souffrir, to suffer; to bear, endure
soulever, to raise; to lift
soulier, *m.*, shoe
soumettre, to submit; to subdue; se —, to submit; to yield; to comply
soumis, submissive
souper, to have supper
souper, *m.*, supper
source, *f.*, source; origin
sourd, deaf
sourire, to smile
sourire, *m.*, smile
souris, *f.*, mouse
sous, under, beneath
souvenir: se — de, to remember
souvent, often
soyez (que vous —), be, are (that you —), *pres. subj. of* être; be, *imper. of* être
spacieuse, *f. of* spacieux
spacieux (*f.* spacieuse), spacious
spécialement, especially, particularly
spectacle, *m.*, spectacle, sight; performance
sport, *m.*, sport; les —s d'hiver, winter sports
structure, *f.*, structure; form
stupidité, *f.*, stupidity
submerger, to submerge
subsistance, *f.*, subsistence; maintenance, (one's) keep
subsister, to subsist; to exist, live; to survive
succès, *m.*, success
sud, *m.*, south
suffire, to suffice; to be enough
suicider: se —, to commit suicide
suicide, *m.*, suicide
suis (je —), am (I —), *pres. ind. of* être
Suisse, *f.*, Switzerland
suite, *f.*, continuation; sequence; tout de —, immediately

suivi, followed, *past part. of* **suivre**
suivre, to follow
superbe, superb, splendid
supérieur, superior; upper
sur, on, upon
surprendre, to surprise, catch (someone) in the act; to overhear
surpris, surprised, *past part. of* **surprendre**
surtout, especially, above all; chiefly
syllabe, *f.*, syllable
symboliser, to symbolize

t', *for* **te**
ta, your
table, *f.*, table
tandis: — **que,** while, whilst; whereas
tant, so much, so many; so; — **mieux,** so much the better; — **pis,** so much the worse; — **que,** as (so) long as
tantôt, presently; recently; by and by; — ... —, now ... now
tapis, *m.*, carpet, rug; — **vert,** green cloth
tard, late
tarder, to be tardy, late; to delay; to be long (in doing something)
tas, *m.*, heap, pile; lot
tâter, to feel, handle, touch
taxi, *m.*, taxi
te, you; to you
technique, technical
tel (*f.* **telle**), such, such a, like, as, so; whosoever
telle, *f. of* **tel**
témoin, *m.*, witness
tempérament, *m.*, temperament; character
temps, *m.*, time; weather; **de** — **en** —, from time to time; **en même** —, at the same time
tendre, tender; soft; affectionate
tenir, to hold; to have; to keep
terme, *m.*, term; word, expression
terminer, to terminate, finish, end

terminologie, *f.*, terminology
terre, *f.*, earth; land; ground; soil; **par** —, on (to) the ground
territoire, *m.*, territory
tête, *f.*, head; **la** — **troublée,** with his (her, my, *etc.*) head swimming
théâtre, *m.*, theater
tiens (**je, tu** —), hold (I, you —), *pres. ind. of* **tenir; je m'en** —, I'll be true; —!, look!, well!, *imper. of* **tenir**
timidement, timidly, shyly
tint (**il, elle, on** —), held (he, she, it, one —), *past def. of* **tenir**
tirer, to draw, pull; **te** — **de là?,** get you out of there?
toi, you, yourself
tomber, to fall; — **sur,** to fall upon; to pounce upon; **laisser** —, to drop
ton, your
ton, *m.*, tone, intonation; manner
totalement, totally, completely, utterly
touchant, touching, moving
toucher, to touch; to handle; to feel
toujours, always; still; at any rate
tour, *f.*, tower; **Tour Eiffel,** Eiffel Tower
tour, *m.*, turn; **à** — **de rôle,** by turns
tourisme, *m.*, touring, travel for pleasure
tourner, to turn; **se** —, to turn around
tout (*m. pl.* **tous**), all, whole; every; **tous les deux,** both; — **comme,** just as; — **de suite,** at once; — **en,** while; — **le monde,** everybody; — **particulier,** all their (his, her, *etc.*) own; **pas du** — not at all
tradition, *f.*, tradition
trait, *m.*, trait, feature
traiter, to treat; — **de,** to call
tranquille, tranquil, quiet
tranquillement, tranquilly, calmly
transatlantique, *m.*, ocean liner

transformer, to transform; to change over

travail (*pl.* **travaux**), work; task; labor

travailler, to work

travaux, *pl. of* travail

travers: à —, across, through

traverser, to cross; to go through

treize, thirteen

trentaine, *f.*, about thirty

trente, thirty

très, very

trésor, *m.*, treasure

tricolore, tricolor(ed)

triple, triple, threefold

tripler, to triple, treble

trois, three

troisième, third

trône, *m.*, throne

trop, too, too much, too many

trotter, to trot; to run

trou, *m.*, hole

troubler, to trouble; to confuse; la tête troublée, with his (her, my, *etc.*) head swimming

trouver, to find; **se** —, to be; to happen to be

truite, *f.*, trout

tu, you

Tunisie, *f.*, Tunisia

type, *m.*, type

un (*f.* **une**), one; a, an; — **à** —, one by one; — **autre**, another; — **peu**, a little

union, *f.*, union; **Union française,** French Union

unique, unique; only, sole; single; unrivaled

unir, to unite; to join; to marry; **États-Unis,** United States

universalité, *f.*, universality

usage, *m.*, usage; use; *pl.*, custom(s)

va (**il, elle, ça, on** —), goes (he, she, it, one —), *pres. ind. of* **aller;** go, *imper. of* aller

va-et-vient, *m.*, coming and going; traffic

vaguement, vaguely, dimly

vain, vain, fruitless; conceited

vais (**je** —), am going (I —), *pres. ind. of* **aller**

valait (**il, elle** —), was worth (he, she, it —), *imperf. ind. of* **valoir**

valet, *m.*, valet, servant

valeur, *m.*, value; worth; valor, bravery, courage

valoir, to be worth

varier, to vary, differ

variété, *f.*, variety

vas (**tu** —), are going (you —), *pres. ind. of* **aller**

vaste, vast, spacious

vaudrez (**vous** —), will be worth (you —), *fut. of* **valoir**

vaut (**il, elle** —), is worth (he, she, it —), *pres. ind. of* **valoir**

veille, *f.*, eve, day before; **la** — **de Noël,** Christmas Eve

venant, *m.*, comer; **à tout** —, to all comers

vendredi, *m.*, Friday

venir, to come; — **de**, to have just

venu, come, *past part. of* **venir; fut** —(e), had come

véritable, true, genuine; veritable

vérité, *f.*, truth

vermisseau, *m.*, small worm

verre, *m.*, glass

vers, to, towards; around

versé, well versed

vert, green

vestige, *m.*, vestige; remains; trace

veut (**il, elle, on** —), wants (he, she, it, one —), *pres. ind. of* **vouloir**

veuve, *f.*, widow

veux (**je, tu** —), want (I, you —), *pres. ind. of* **vouloir**

viande, *f.*, meat

vice, *m.*, vice, depravity; fault, defect

victoire, *f.*, victory

vie, *f.,* life
vieil, *see* **vieux**
vieillard, *m.,* old man
vieille, *f. of* **vieux**
viens, come, *imper. of* **venir**
vieux, vieil (*f.* **vieille**), old, aged, elderly
vieux (*f.* **vieille**), *m.,* old man (old woman)
vif (*f.* **vive**), alive; lively; bright
vigueur, *f.,* vigor, strength
ville, *f.,* city, town
vin, *m.,* wine
vingt, twenty
vingtaine, *f.,* about twenty; a score
violent, violent; impetuous
visage, *m.,* face, countenance, visage
vision, *f.,* vision, sight; image
vite, quickly, fast, rapidly
vitrine, *f.,* shopwindow, showcase
vive, *f. of* **vif**
vivement, quickly; eagerly; spiritedly
vivre, to live
vlan!, plunk!
vocable, *m.,* vocable, word
vocabulaire, *m.,* vocabulary
vociférations, *f. pl.,* vociferations
voici, here is (are); **nous —,** here we are
voilà, there is (are); **— qui est fait!,** that's done!; **le —,** there he is

voir, to see, behold, notice
voisin, *m.,* neighbor
voisinage, *m.,* neighborhood
voix, *f.,* voice
voler, to steal; to fly
voleur, *m.,* thief, robber
volontiers, gladly, willingly
vont (**ils, elles —**), are going (they **—**), *pres. ind. of* **aller**
voracité, *f.,* voracity, voraciousness
vos, *pl. of* **votre**
votre, your
vôtre, yours; **le, la, les —(s),** yours, your own
vouloir, to wish, desire; to want; to like; **— dire,** to mean
vous, you, to you
voyage, *m.,* voyage, journey, trip
voyager, to travel; to voyage; to journey
voyant, seeing, *pres. part. of* **voir**; **en —,** upon seeing
vrai, true, real
vrai, *m.,* truth
vraiment, truly; indeed
vue, *f.,* view; sight

y, there, here; to it, at it, in it; to them, *etc.*; **il — a,** there is, there are
yeux, *pl. of* **œil**; **il a les — bleus,** he is blue-eyed